Alles is weg

Anke Kranendonk
Lieke Kranendonk

Alles is weg

Amsterdam · Antwerpen · Em. Querido's Uitgeverij BV · 2009

www.queridokind.nl
www.slashboeken.nl
www.slashboeken.hyves.nl
www.ankekranendonk.nl

Mixed Sources
Productgroep uit goed
beheerde bossen en andere
gecontroleerde bronnen.
www.fsc.org Cert no. SCS-COC-001256
© 1996 Forest Stewardship Council

De auteur ontving voor het schrijven van dit boek een werkbeurs van het Fonds voor de Letteren.

Eerste druk, 2008; tweede druk, 2009

Omslag Studio Ron van Roon
Omslagbeeld Hollandse Hoogte

isbn 978 90 451 0648 9/nur 284

Ahoy

Het is feest. En iedereen gaat mee.

Fae, Billy, Patrique, Jason, Gonneke. En Mark.

Dat is één auto vol.

Er is nog veel meer feest, dat gaat in de tweede auto.
Mo, Trúc, Dolores en haar vriend, die een rijbewijs heeft.

De derde auto is ook al vol feest. Charley, Dammetje,
Prissila, Maarith en Rafael. Hij is net geslaagd voor zijn
rijexamen.

Met zijn allen naar de Red Hot Chili Peppers in
Rotterdam.

Het dak gaat eraf.

Drie auto's vol vrienden uit Baarn.

In de auto van Mark is het toch een beetje krap. Voorbij
Utrecht wordt er gestopt. Roken, biertje, pissen. Daarna
gaat Billy in de derde auto.

Onderweg verliezen ze elkaar uit het oog; de een scheurt
harder dan de ander.

Maar dat maakt niet uit. Op het parkeerterrein van Ahoy
worden ze door verkeersregelaars naar een parkeerplek
gewezen. Met vijftien mobiele telefoons vinden ze elkaar
voor vak Zuid, de F-side.

Vanuit het immense gebouw is de muziek al te horen.
Het wordt te gek, vanavond.

Fae steekt een sigaret op en kijkt lachend naar haar
vrienden, die in een kring om haar heen staan.

En naar Mark.

7

Haar nieuwe liefje.

Ze trekt eens flink aan haar sigaret. Achter haar is de rij snel gegroeid, het hele parkeerterrein staat vol. Hoeveel bezoekers kunnen er eigenlijk in zo'n hal?

Langzaam schuifelt iedereen naar de ingang van de hal.

Bij de deur wordt Charley apart genomen. Hij wordt gefouilleerd. Ze moeten altijd de neger hebben. Maar hij lacht erom en knikt de politieagente vriendelijk toe.

Als er iemand geen boef is, is het Charley.

De volgende. Fae natuurlijk.

Zij wordt ook gefouilleerd.

Heeft zij weer.

Veertien koppen zijn op haar gericht en lachen haar uit. Zou ze een wapen bij zich hebben, een vlindermes misschien?

Fae? Een mes? Bij het idee piest ze al in haar broek.

Opgewonden lopen ze door de nauwe gang tot in de hal.

Het is zo goed als donker binnen, het decor en de instrumenten op het podium zijn nauwelijks te zien.

Het kabaal van voetstappen op de tribunes overstemt de geluiden van de muziek die alvast uit de boxen schalt, en van de pratende mensen. Mannen in nette pakken en met een microfoon voor hun mond begeleiden de mensen naar hun plaatsen.

Bij vak F staat ook een man met een microfoontje. Hij controleert de kaarten; met een zaklamp schijnt hij zichzelf bij terwijl hij hardop de nummers van de stoelen leest.

Daarboven, wijst hij. Helemaal in de nok.

Met zijn allen stampen de vijftien vrienden naar boven.

Hoger en hoger.

Fae hijgt ervan. Tenslotte beklimt ze niet elke dag een metershoge trap.

Eindelijk is ze boven. Ze staat stil, moet op adem komen, wacht totdat anderen voor haar hun plaats hebben gevonden.

Ze draait zich om en kijkt in de donkere diepte.

Plotseling begint alles om haar heen te draaien. Fae ziet haar vrienden niet meer, de tribune is weg. Het kabaal verdwijnt.

Voor haar is een groot donker gat.

Ze staat op de brug, tegen de reling geleund. En daar gaat hij.

Razendsnel valt hij naar beneden. Hij kijkt haar aan, terwijl hij nog sneller valt en Fae ver vooroverbuigt, maar ze kan hem niet meer pakken. Hij blijft haar aankijken. Uit zijn ogen spreekt één wanhopige vraag: Fae, jij redt me toch?

Hij valt dieper.

Het gaat zo snel.

Nog dieper. Steeds verder weg.

Met een onhoorbare plons valt hij in het water.

Er komen luchtbellen, tien, vijftien.

Dan is het water weer rimpelloos, stil en zwart.

Faes keel klemt zich dicht.

Het donkere water vult de ruimte, slurpt haar op.

Haar oren suizen. Ze krijgt geen adem meer. Alles loopt door elkaar, de stemmen, de diepte, zijn ogen, iemand die haar roept. Iemand die haar opvangt. Haar dunne slappe lijf.

'Fae, wat is er?'

Ze kan nog maar één woord zeggen: 'Muis.'

Muis

'Kom van die bedden af, Muis!'

'Ik ga niet naar school!'

'Kom nou.'

'Nee!'

'Je moet.'

'Maar ik ga niet.'

Muis springt door, vanaf een hoog bed naar het bed van zijn tweelingbroer. In de deuropening staat zijn moeder, met Muis' broer aan haar hand. Patrique is keurig gekleed en zijn haren staan stijf van de gel.

'Hou op!' zegt zijn moeder. 'Je moet naar school, het is bijna half negen. Je kunt toch niet te laat komen op je eerste schooldag.'

'Maar ik ga niet.'

'Waarom niet?'

'Ze binden je vast.'

'Wie zegt dat?'

'Billy, hij weet het, hij zit al op school.'

'Muis, dat is niet waar, dat kan hij niet verteld hebben.'

'Wel. En je moet precies doen wat de juf zegt.'

'Ja natuurlijk. Kom nu van die bedden af.'

'Ga maar alleen met Patrique. Ik ga niet naar school, nooit!'

Plotseling laat zijn moeder Patriques hand los en stapt de kamer in. Muis springt recht in haar armen. Ze vangt hem op, hij slaat zijn armen om haar nek en klemt zijn benen om haar middel.

'Waar ben je dan zo bang voor, mijn Muisie?' fluistert ze.

Muis duwt zijn neus in het kuiltje van haar sleutelbeen. 'Dat ik moet plakken,' mompelt hij.

Met een hand ondersteunt ze Muis, met haar andere hand wrijft ze over zijn haren. 'Zal ik vragen of je niet hoeft te plakken?' fluistert ze in zijn oor.

Muis knikt, terwijl zijn hoofd verstopt blijft in de hals van zijn moeder.

'Zal ik vragen of je naast Fae mag zitten, die ken je tenminste.'

Weer knikt Muis, net op het moment dat zijn broertje vanuit de deuropening roept: 'Ik zit al naast Fae.'

Plotseling hangt Muis niet meer om de hals van zijn moeder, maar rollen de twee jongens vechtend door de kamer.

'Ik zit naast Fae!' roepen ze door elkaar heen. 'Ik ben op Fae!'

'Niet, ik ben op Fae.'

'Ze is lekker toch op mij.'

Hun moeder aarzelt geen moment. Ze grijpt de twee jongens bij een bovenarm en trekt ze overeind.

'Hou op,' zegt ze streng. 'Jullie zijn vier jaar. Waar hebben jullie het over? "Op Fae, op Fae." Fae is gewoon het zusje van Billy en Billy is jouw vriend, Muis. Zo staan de zaken. Net vier jaar, en dan al verliefd op het zusje van je vriend. Kom, we gaan!'

Alle kinderen zitten al op hun plek als Patrique en Muis de klas in komen.

'Hoi,' zegt Patrique tegen de juf. Zijn bolle wangen glimmen. Stralend kijkt hij om zich heen en zwaait naar Fae, die achter in de klas zit.

Muis blijft dicht bij zijn moeder staan. Met een vinger

in zijn mond bekijkt hij de kinderen uit de klas, terwijl hij ondertussen de rok van zijn moeder omhoog friemelt.

De juffrouw knielt voor hem neer en kijkt hem vriendelijk aan.

'Hoe heet je?'

'Muis,' zegt Muis zacht.

'Muis?' vraagt de juf en kijkt verbaasd naar zijn moeder.

Zij schudt haar hoofd. 'Hij heet Maurice, maar dat kon Patrique vroeger niet zeggen, hij maakte er Mois van. En omdat het zo'n kleintje bleef, werd het vanzelf Muis. Mijn Muisie.'

'Ik ben juf Suzette,' antwoordt de juf. 'Of juf Susie,' voegt ze er lachend aan toe. 'Waar wil je zitten?'

Muis trekt zijn schouders op. 'Ik wil niet,' zegt hij.

'Jawel.'

'Nee, ik ga niet naar school.'

De juf gaat even staan om haar stijf geworden knieën te strekken. 'Ken je hier iemand?' vraagt ze lief.

Muis knikt. 'Fae.'

'Wil je naast haar zitten?'

Muis knikt, maar verzet geen stap. Totdat hij ziet dat zijn broer naar de lege plek naast Fae wandelt. Snel laat Muis zijn moeder los, loopt de klas in, duwt zijn broer aan de kant, en ploft naast Fae op de lege stoel.

Muis zit. Hij kijkt naar zijn vriendinnetje. Ze luistert met haar handen onder haar kin naar de kinderen die om de beurt hun naam mogen zeggen.

Maarith is Maarith, Jason is Jason, Dolores is Dolores en Trúc is Trúc.

'Trúc?' roept Dolores brutaal.

'Ja, Trúc, dat is een naam uit Vietnam. Zijn vader en moeder zijn hier vroeger met een boot gekomen.'

'Wij hebben ook een boot,' zegt Dolores.

'Dat is een ander soort boot,' zegt de juf.

Muis ziet dat Fae een klein paars plekje bij haar neus heeft. Het is zo verschrikkelijk saai op school, de juf praat maar en praat maar, dat Muis niets anders kan doen dan naar het paarse vlekje van zijn vriendin te kijken.

Ineens gaan de kinderen staan en tillen hun stoel op. Ze zetten ze in een kring en gaan weer zitten. Alweer stilzitten? Zie je wel dat de school saai is. Straks moeten ze ook nog gaan plakken.

Muis schuift zijn stoel ook naar achteren, gaat staan en loopt de klas uit. De gang door, de school uit.

Naar huis.

Na een week loopt Muis niet meer weg van school. Hij wil best blijven, als hij maar de hele dag mag tekenen, samen met Fae.

Patrique is inmiddels naar een andere klas verhuisd. De broers lagen voortdurend vechtend in de poppenhoek.

Fae en Muis hebben allebei een tekenvel voor zich liggen. Fae tekent een huis, zoals ze er al vele heeft gemaakt en Muis maakt weer eens dikke ronde krassen. Als hij naar zijn eigen strepen kijkt, begint hij te lachen.

'Kijk Fae!' roept hij en geeft haar een por waardoor er een dikke haal door haar huis komt.

'Wat doe je?' roept Fae.

'Een kut!' roept Muis. Stralend wijst hij op een rondje dat hij op zijn witte vel papier heeft getekend.

Fae wordt direct knalrood.

Muis maakt er twee grote rondjes bij. In elk ervan zet hij een stip.

'Tieten!' roept hij triomfantelijk.

'Wat zeg je daar?' vraagt juf vanuit de hoek. Ze heeft een pop op haar schoot en kijkt bestraffend naar Muis.

'Niets!' roept Muis terwijl hij zijn neus dichtknijpt om niet in lachen uit te barsten.

Fae buigt zich over haar eigen tekening, maar al snel krijgt ze weer een por.

Nu heeft haar vriendje een lange ovaal getekend.

'Een piemel!' giert hij.

Weer krijgt hij een standje van de juf, maar dat maakt

Muis niets uit. Hij pakt een geel potlood en zet een streep onder zijn zojuist getekende piemel.

'Pies!'

De twee kinderen liggen dubbel.

Nu maakt Fae in haar huis een klein vierkant. Ze tekent er twee dikke bollen in. Met een bruin potlood maakt ze er een dikke klodder onder.

'Poep!' roept ze.

'Kijk eens, juf!' zegt Muis, als de juf ineens bij hun tafeltje staat. 'Een kut!'

De juf trekt haar lippen samen. Ze draait zich naar alle kinderen toe en klapt in haar handen.

'We gaan buiten spelen, leg je spullen maar neer.'

'Blijf jij even hier mij bij?' vraagt ze aan Muis.

Buiten fietst Fae op een kar.

Zou Muis nu op zijn kop krijgen? Mag hij nu voor straf niet naar buiten? Dan gaat hij vast weglopen, net als verleden week.

Plotseling botst er iets tegen haar kar. Fae kijkt achter zich en ziet Patrique scheef in zijn kar hangen.

'Wat doe je?' roept hij. 'Ik ging heel hard en nu niet meer.'

'Ik deed het niet expres,' zegt Fae geschrokken.

Patrique stapt van zijn kar af en loopt naar Fae toe. 'Is niet erg hoor,' zegt hij. 'Wil je een kus?'

'Een kus, waarom?'

'Ik vind je lief.' Zijn bruine wangen worden rood.

'Ik jou ook,' zegt Fae.

'Kom.' Patrique pakt Faes hand.

'Waar naartoe?'

'De bosjes.'

'Dat mag toch niet?'

18

'Wij wel,' antwoordt Patrique. 'Kom maar.'

Fae kijkt een paar keer achterom. Haar juf is nog niet buiten en de andere juf let niet op.

Bij de bosjes aangekomen, bukt Patrique zich en trekt Fae mee. Als ze samen op hun hurken zitten, kijkt Patrique Fae aan met zijn mooie bruine ogen.

'Hi hi,' zegt hij.

Faes buik begint te rommelen. Ze buigt een beetje verder in elkaar en giechelt mee.

'Hi hi, Fae,' zegt Patrique en ineens geeft hij haar zomaar een kus op haar wang. Meteen sluit hij zijn ogen, keert zijn wang naar Fae toe en wacht af. Snel geeft Fae hem een kusje terug. Haar hart bonkt ervan.

Patrique doet zijn ogen weer open.

'Ik vind je lief,' fluistert hij. 'En nu een op mijn mond.' Met zijn lippen komt hij dicht bij Fae.

Fae begint te lachen. 'Het staat heel stom,' roept ze. 'Met die lippen!'

'Je moet niet kijken. Ogen dicht.'

Vooruit, Fae sluit haar ogen en wacht, totdat ze twee lippen op haar neus voelt.

'Mis!' giert ze. 'Nog een keer.'

Patrique doet het nog een keer. Hij tuit zijn lippen en sluit zijn ogen. Fae heeft zin om snel weg te lopen, maar dat is zielig voor Patrique. Dus tuit ze ook haar lippen en door twee spleetogen kijkt ze waar de mond van Patrique is. Daar komen ze, twee zachte lippen tegen die van haar. Fae sluit haar ogen nu helemaal en met de handen in haar zij, kust ze de jongen die tegenover haar zit.

Ineens steekt hij zijn tong naar buiten. Fae trekt meteen haar lippen terug.

'Wat doe je?' roept ze.

'Met de tong,' antwoordt Patrique. 'Dat deed mijn tante ook, bij haar vriend.'

'Bah,' zegt Fae. 'Dat is hartstikke vies. Kom we gaan.' Ze pakt de hand van Patrique en trekt hem mee het schoolplein op.

'Ik vind je lief,' zegt Patrique nog een keer en dan loopt hij regelrecht op Muis af.

'Ik heb gekust!' gilt hij. 'Met Fae!'

Daar staat Muis met een schep in zijn hand. Beteuterd kijkt hij van Fae naar Patrique.

'Gekust?' vraagt hij.

Patrique knikt opgewonden. Fae zegt niets.

'Toen ik binnen was? Kom je nou niet meer naast me zitten?' vraagt Muis.

Fae kijkt hem aan. Snel slaat ze haar armen om hem heen en geeft hem een klapzoen.

Het is een lekkere warme woensdagmiddag, de zon schijnt door de verkleurde bladeren, aan de takken boven de vijver hangen grote spinnenwebben.

Billy poert met een stok in het water, op zoek naar goud en Muis slingert aan een tak boven de vijver. Dat doet hij nu al een halfuur en hij is er nog steeds niet in gevallen.

Fae zit met haar rug naar de vijver toegekeerd met een schetsblok op haar schoot het flatgebouw aan de overkant van de weg na te tekenen. Ze oefent in perspectief tekenen, want als ze later architect is, moet ze dat goed kunnen.

Naast Fae zit Patrique. Hij neemt zo af en toe een bastognekoek uit het pak en stopt hem in zijn mond. Terwijl hij kauwt, gromt hij van genot.

Dammetje, een jongen uit de buurt, heeft met een stokje een dambord in het zand getekend en oefent zijn nieuw geleerde zetten. Dammetje zegt nooit zoveel, Fae denkt dat hij ontzettend intelligent is en er geen plaats in zijn hersenpan voor woorden is.

Alle vrienden zijn er, Gonneke, Maarith, Dolores en Jason. Ze liggen allemaal in het gras een beetje te niksen.

Fae tekenend, lijntje voor lijntje. Ze voelt dat Patrique naar haar kijkt, zonder iets te zeggen, al minutenlang.

Als ze even naar hem kijkt, lacht hij verlegen.

'Je doet steeds je hand boven je hoofd,' zegt hij.

'Anders zie ik te veel schaduwen.'

'Wil je die niet tekenen?'

'Nee, omdat ze steeds veranderen.'

Iedere hoofdbeweging die ze maakt, bestudeert Patrique. Als ze een haar uit haar mond wegtrekt, ziet hij dat. Als ze al haar haren bij elkaar bindt en ze achter op haar T-shirt legt, ziet hij dat ook.

Zelfs als Dolores naast hem komt zitten, blijft hij naar Fae kijken.

'Wil je een koek?' vraagt Dolores aan Patrique. 'Hier, neem maar, ik heb een heel pak bij me.'

Dat laat Patrique zich geen tweede keer zeggen. Hij vouwt zijn eigen pak dicht en neemt een eierkoek van Dolores.

'Lekker,' zegt hij.

'Wil je er nog een?' vraagt ze, als zijn mond nog vol is.

'Lekker.'

Fae schiet in de lach. 'Hé Bolle Gijs, denk je om je lijn?'

Meteen legt Patrique de eierkoek terug, maar Dolores houdt het pak omhoog.

'Neem maar, is lekker. Wat ik vragen wou: Wil je verkering met me?'

Even kijkt Patrique naar Fae, maar Fae kijkt niet op. Dan pakt hij toch maar een koek.

'Ja,' antwoordt hij. 'Lekker.'

Er kraakt een tak, er volgt een schreeuw. Iedereen draait zich om en ziet Muis met een rare sprong op het grasveld belanden.

'Gered!' roept hij.

Op dat moment komt Trúc aangelopen. Hij heeft een jongen bij zich.

'Hé Muis!' roept hij. 'Ik heb een nieuwe vriend voor je.'

Vlak voor Muis blijven de jongens staan. 'Kijk, dit is hem, hij is echt gek in zijn hoofd,' zegt Trúc tegen de nieuwe jongen.

'Hé,' zegt Muis. 'Wie ben je? Hoe oud ben je?'

'De lachende neger,' antwoordt Trúc. 'Hij doet aan hiphopdans.'

'Hip hop? Hip hop?' Muis springt als een konijn omhoog. 'Hip hop.'

'Niet zo,' zegt Trúc. 'Doe eens voor.'

De jongen gaat op zijn hurken zitten, begint te springen, zet een hand op de grond, duwt zichzelf in handstand en springt weer op zijn voeten.

De jongen kijkt even om zich heen, ziet alle mensen die bij hem zijn gaan staan en lacht.

'Woo!' gilt Muis. 'Doe nog eens wat! Hé man, wie ben je, hoe heet je, waar kom je vandaan? Ik ken je niet.'

'Ik ben Charley,' zegt de jongen. 'Ik woon daar bij de flats. Ik kom uit Amersfoort.'

'Man!' roept Muis die het eerste wereldwonder heeft gezien. 'Hoe kan je dat?'

'Geleerd.'

'Hij komt bij ons in de klas,' zegt Trúc.

Muis bekijkt Charley van onder tot boven. 'Zo groot,' zegt hij. 'Hoe oud ben je dan?'

'Elf, maar ik ben blijven zitten.'

Muis sist bewonderend tussen zijn tanden. Even, één tel maar, is hij stil. Dan zegt hij: 'Kom, we gaan.'

Fae stopt haar schetsboek in haar rugzak, net als de anderen pakt ze haar fiets uit het gras. Trúc springt bij Muis achterop, en Charley bij Billy.

In optocht gaan ze op pad, door de straten van Baarn. Niemand weet waarheen, allemaal volgen ze Muis. Slingerend rijdt hij over de weg. Zo af en toe, als er een lege kliko langs de kant staat, geeft hij er een trap tegenaan, zodat ie met een klap omvalt. Als hij er net niet bij kan met zijn korte benen, krijgt de kliko de genadetrap van Billy.

Totdat Muis ineens op zijn rem staat.

Bij de rivier, achter de zandafslag, waar de schepen aanmeren om hun zand en schelpen te lozen, staat een huis.

In een grote tuin, omgeven door dichtgegroeide struiken, ligt het er verlaten bij.

Muis gooit zijn fiets tegen een struik en loopt de tuin in.

Trúc blijft bij de andere kinderen staan. Billy heeft zijn fiets aan Charley gegeven en loopt met Muis door het hoge gras. Ooit liep er een pad naar de voordeur, maar dat is nu overwoekerd door onkruid.

De twee jongens stampen het gras plat, komen bij het huis en loeren naar binnen.

Fae blijft bij haar fiets staan wachten, klaar om weg te rijden, als er gevaar dreigt.

Dolores komt naast haar staan.

'Mag ik hem?' vraagt ze aan Fae.

'Wie?'

'Patrique.'

'Moet je hem vragen.'

Dolores draait zich om en loopt weg.

Fae zet haar fiets op de standaard en gaat de tuin in. Muis is naar de deur gelopen, hij trekt hem met een ruk open en wil naar binnen gaan.

'Kijk uit!' roept Fae. 'Misschien is er iemand.'

Muis loert naar binnen. 'Ik zie geen pest,' zegt hij. 'Maar het stinkt als een otter. Er ligt een lijk, denk ik.' Hij stapt naar binnen en is weg.

Nu staat Gonneke naast haar. 'Wat denk je?' vraagt ze. 'Maak ik een kans bij Billy?'

Met een ruk draait Fae zich naar Gonneke.

'Ja.' Meer kan ze niet zeggen. Maarith komt aan de andere kant van Fae staan.

'Leuke jongen, die neger,' zegt ze.

'Ja.'

Nu moeten ze ophouden, Billy is nu ook in het huis en ze komen er niet meer uit.

Fae loopt naar het huis en gaat naar binnen.

Alles is kapot. De vloer, de muren, het keukenblok, een bank, de stoelen. Op de grond liggen oude kranten en ander papier, oude nummerborden, lege zakken chips, sigarettenpakjes.

Billy raapt een leeg pakje sigaretten op en Muis komt naar haar toe gelopen met een flesje bier in zijn hand. Hij neemt er een slok uit.

'Ben je gek,' zegt Fae. 'Doe normaal man, daar kan wel aids aan zitten.'

'Welnee,' lacht Muis en hij neemt achter elkaar een paar slokken.

Fae rukt het flesje uit zijn hand. 'Ben je gek geworden?' zegt ze. 'Hier woont een zwerver, zie je dat niet. Straks komt hij terug.'

'Spannend,' zegt Muis en slaat zijn armen om Fae heen. 'Doe chill, Faetje.'

'Chill, chill,' bauwt Fae hem na. 'Doe jij eens een keer gewoon.'

Na een week is het huis opgeknapt. De kapotte bierflesjes zijn weggegooid, Gonneke heeft een kleed over de bank gelegd en Muis en Billy hebben twee oude matrassen ernaartoe gesleept. Er zijn nog geen zwervers binnengekomen, dus het huis is nu van de club.

Billy heeft een touw aan een balk boven in het dak gehangen en slingert als een aap door de kamer. Gonneke hangt op de bank vol ontzag naar hem te kijken. Ze sabbelt op een lolly.

Fae zit in de andere hoek van de bank. Ze kijkt ook maar naar haar broer die zich als een debiel zit uit te sloven voor Gonneke.

Vanuit de hoek komen rare geluiden. Ze hoort ze wel, maar doet alsof ze er niet zijn. Patrique is samen met Dolores op een matras. Hij heeft al met alle meisjes uit de klas verkering gehad. Vroeger ook al met Dolores. Nu begint hij weer van voren af aan. Met het grootste en mooiste meisje. Ze heeft al een beetje borsten. Fae niet, zij is alleen maar dun. Waarschijnlijk krijgt ze nooit borsten. En nooit verkering met Patrique. Waarom zou ze? Hij is haar vriend en dat is genoeg.

Maar die twee zitten wel raar te smakken in de hoek, en Billy hangt als een achterlijke lange aap aan het touw. Met zijn benen geeft hij een slinger aan zichzelf en laat zich boven Gonneke los.

'Ho!' gilt hij. 'Pardon!' Ondertussen blijft hij gewoon liggen. Het ging maar net goed met die lolly.

Ze hebben een week verkering, en Billy drinkt al thee. Thee! Nooit lekker gevonden en nu haalt hij haar op en zit hij bij haar aan de keukentafel thee te drinken.

Op de andere bank zitten Charley en Maarith.

'Ah leuk,' zegt Maarith, terwijl ze overdreven dicht tegen Charley aan zit.

Charley lacht.

'O leuk,' zegt Maarith weer.

Fae staat op, ze loopt de kamer uit, de gang in. Daar staan Trúc en Prissila. Ze is een kop groter dan die pezige Trúc. Met haar dikke kroesharen hangt ze over de kleine jongen heen. Zodra ze merken dat Fae voorbij loopt, laten ze elkaar los.

'Sorry,' zegt Prissila. Ze is helemaal rood geworden.

Trúc staat ernaast, hij grijnst.

Fae loopt naar buiten. Het hoge gras is op verschillende plaatsen platgetrapt. Bij het schuurtje staat Muis aan de deur te trekken. Met geen mogelijkheid krijgt hij hem open.

Fae kijkt ernaar. Ze houdt haar hand in haar broekzak en voelt het briefje zitten.

'Muis,' zegt ze.

'Ik krijg hem niet open,' zegt Muis.

'Laat dan zitten.'

Ineens moet ze plassen. Heeft zij weer. Altijd op het verkeerde moment. En binnen doet de wc het niet, daar drijven alleen maar drollen in.

Als ze naar de achterkant van het huis loopt, hoort ze het rinkelen van een ruitje. Haar hart bonkt. Achter een dikke boom, verscholen in het gras, trekt ze haar broek naar beneden en plast.

Dan kan ze weer terug.

Muis hangt net met zijn broek aan een glasscherf. Op één been probeert hij zijn evenwicht te houden, terwijl hij de broek van het raam probeert te trekken. Fae loopt naar hem toe en helpt hem.

'Debiel,' zegt ze. 'Doe het dan niet.'

Ze staat vlak bij hem. Kleine bruine Muis, met zijn fonkelende ogen. Ze kennen elkaar nu al jaren en zien elkaar elke dag. En vaak ook 's nachts, als hij bij Billy blijft logeren. Dag en nacht.

Uit haar broekzak pakt ze het briefje. Net als Muis weer naar binnen wil klimmen, geeft ze het aan hem. Samen met een potlood dat ze uit haar achterzak pakt.

Ze heeft er lang over nagedacht. Wat moest ze schrijven? Hoe zeg je het, hoe vraag je zoiets? Uiteindelijk is het heel kort geworden:

Wil je verkering met me?
Streep aan:
* *Ja*
* *Nee*

Haar buik draait als een op hol geslagen centrifuge in het rond.

Muis pakt de brief aan, hij vouwt hem open en leest.

Hij doet er heel lang over. Veel te lang. Hij kan toch wel lezen?

Waarom zegt hij niets? Hij zegt niets! Hij stopt een vinger in zijn mond, kijkt Fae even aan, vouwt dan de brief dubbel en stopt hem in zijn broekzak.

'Debiel,' zegt Fae, als Muis zijn handen in de sponningen van het kapotte raam zet en naar binnen klimt.

Ze ziet geen moer binnen. Muis maakt een hoop kabaal, hij schopt waarschijnlijk van alles om. Fae blijft in het gras staan. Wat moet ze anders? Weglopen, of juist wachten, of hem achterna gaan? Het is nu al ingewikkeld, terwijl ze er anders nooit over zou nadenken.

Binnen wordt het stil. Fae hoort het allemaal. Zou er iets aan de hand zijn? Misschien heeft hij zich gesneden en ligt hij nu dood te bloeden. Of hij leest de brief nog een keer.

Ineens vliegt de deur met een ruk open en staat Muis stralend in de opening.

'Gelukt!' roept hij.

En dan loopt hij weer weg. Sjeempie. Hij kan toch wel wat zeggen! Moet ze hem nou achterna gaan, of niet? Hij loopt naar de rivier. Bij de boom springt hij omhoog en grijpt een tak vast. Wild slingert hij heen en weer.

'Fae!' roept hij. 'Faetje, Faetje!'

'Hou op!' roept Fae. 'Je hangt er achterlijk bij! Ga terug!'

Hij hangt nog geen tien tellen, of de tak kraakt. Muis

geeft een luide schreeuw en verdwijnt met tak en al onder water.

Fae is blijven staan waar ze stond. Mijn brief, denkt ze, terwijl haar hart in haar hele lijf bonkt.

Muis komt boven water, zwemt naar de kant en klimt er op. Daar staat hij als een magere verzopen kat. Hij schudt zijn haren heen en weer zodat de spetters in het rond vliegen.

Als hij uitgezwiept is, loopt Fae naar hem toe.

'Mijn brief,' zegt ze.

Muis staat stil. Een beetje verlegen kijkt hij haar aan, met twee vingers graait hij in zijn broekzak, haalt er een nat verfrommeld papiertje uit en geeft het aan Fae.

Ze vouwt het open, haar hart gaat nog steeds tekeer als een heimachine, de letters zijn doorgelopen, maar de cirkel om het woord is goed te zien:

*Ja

De pauze is voorbij. De bel is gegaan en alle kinderen gaan de school in.

Billy komt de hoek om geslenterd. Hij zoekt Muis. Die staat aan de rand van het schoolplein, bij het hek. Er zit een gat in.

'Pfff,' zucht Muis, als Billy naast hem staat. 'Alweer naar binnen.'

'Zeg dat wel,' antwoordt zijn vriend.

'Rekenen. Taak afmaken.'

'Gatver.'

Ineens zien ze de blauwe regenjas van meneer Van Veen. De directeur controleert of iedereen wel naar binnen gaat en tijdens die inspectie draagt hij altijd een lange blauwe jas, of het nu zomer is, een mooie herfstdag zoals vandaag, of hartje winter.

De jongens kijken elkaar aan en hoeven niets te zeggen. Het duurt nog geen minuut, dan zijn ze door het hek, via de regenpijp, het dak opgeklommen en liggen ze plat op hun buik.

Meneer Van Veen schrijdt over het plein. Hij zet zijn kraag omhoog en kijkt streng om zich heen. Zo te zien is het plein leeg, op wat herfstbladeren na, maar hij weet precies waar hij zoeken moet. Hij kijkt achter de fietsenstalling, achter het speelhuisje, om de hoek van de school bij het gat in het hek. Plotseling staat hij stil. Hoorde hij wat?

'Hé ouwe, kun je ons niet vinden?'

Het komt van boven. Meneer Van Veen legt zijn hoofd in de kraag van zijn blauwe regenjas en kijkt naar het dak.

Niemand.

Even blijft hij staan luisteren. Als hij niets meer hoort, loopt hij verder.

'Hé kale, waar zijn we nou?'

Hij staat stil.

'Hé ouwe, kan je ons niet vinden?'

'Verdomme.' Het ontsnapt zomaar uit zijn mond.

'Tut tut tut, meneer Van Veen.'

De directeur staat stil, hij balt zijn vuisten onder zijn iets te lange mouwen. Van af het dak is het te zien dat hij zijn oren spitst, maar geen vin verroert.

'Hé kale, kijk dan.'

'Godverdomme!'

'U was toch christelijk. We mogen hier toch niet vloeken?'

De directeur spreidt zijn vingers en maakt dan weer twee vuisten.

'Jammer hè, we zijn er wel, maar we zijn er niet. Kiele kiele, kale!'

Meneer Van Veen slikt. Met grote stappen loopt hij naar de ingang van de school. Nog één keer kijkt hij om zich heen, niemand te zien. Dan verdwijnt hij naar binnen. Hij weet precies wat hij moet doen: snel zijn jas ophangen en naar boven gaan, nog voordat die jongens van het dak kunnen komen. Want meneer Van Veen weet wel wie daar vanaf het dak naar hem riepen, die vervelende, onafscheidelijke vriendjes. Het erge is dat ze ook nog bij elkaar in de klas zitten, nu Billy is blijven zitten. Geen gezicht, zo'n lange lijs in groep zeven.

Nou vooruit, ze zullen op heterdaad betrapt worden. Hij zal laten zien wie hier de touwtjes in handen heeft. Hij zal in de klas blijven wachten totdat die twee binnenkomen. Ha! Hij ziet hun gezicht al voor zich.

Meneer Van Veen loopt de trap op, trekt zonder te kloppen de deur open en loopt naar binnen.

Daar zitten ze. Billy en Muis, aan hun rekentaak.

Kijk die kop van dat kleine joch, die vrolijke ogen, die even opkijken vanaf zijn rekenboek en hem stralend toelachen, alsof er niets aan de hand is.

'Muis, hier komen,' zegt meneer Van Veen, terwijl er stoom uit zijn oren lijkt te komen.

Verbaasd kijkt Muis meneer Van Veen aan, hij staat langzaam op en wandelt naar de directeur toe.

Het is stil in de klas als de directeur zijn arm omhoog tilt en Muis een klap tegen zijn wang geeft.

Even schudt Muis met zijn hoofd en houdt hem dan weer stil.

De juf staat met een rood hoofd aan de andere kant van haar bureau. Het rekenboek heeft ze dubbelgevouwen in haar handen. Ze klemt het stevig tegen haar borst aan.

Meneer Van Veen grijpt de nek van Muis, trekt hem naar het bureau van juf en duwt hem naar beneden, zodat zijn hoofd met een doffe klap op de tafel bonkt. Nog een keer doet hij het, en nog een keer.

Het wordt nog stiller in het lokaal, doodstil. En de juf zegt niets.

Drie keer.

Dan laat meneer Van Veen los. Muis veegt even over zijn voorhoofd, maar hij geeft geen krimp. Nog steeds kijkt hij meneer Van Veen, bij wie de woede nu zowat zijn hele lichaam uit spuit, lachend aan.

Weer grijpt hij Muis bij zijn nekvel en duwt hem naar beneden.

Maar dan staat Fae voor de directeur. Lijkbleek.

'Meneer,' zegt ze. 'Dit mag u niet doen.'

Even kruisen de blikken van Muis en Fae elkaar. Twee dankbare, lachende bruine ogen.

Fae voelt haar benen bibberen, maar ze blijft staan.

Meneer Van Veen laat Muis los. Zonder iets te zeggen draait hij zich om en loopt de klas uit.

Fae zit op het bruggetje bij het weiland een appel te eten. Eigenlijk moet ze huiswerk maken, topografie leren. Maar ze heeft geen zin. Vanmiddag na school heeft ze het snel even doorgelezen, dat is al meer dan haar broer heeft gedaan. Hij is meteen na school uit huis gerend om samen met Muis een paar jongens in elkaar te slaan.

Gisteravond zijn er oudere jongens naar hun clubhuis gekomen. Met stokken hebben ze alle ruiten stukgeslagen en op de matrassen gepiest.

Fae kluift lekker aan haar appel. Zo af en toe blijft er een schilletje tussen haar tanden zitten dat ze eruit peutert. In de verte dendert de trein naar Amersfoort voorbij. De koeien in de wei zijn eraan gewend, ze schrikken niet van het lawaai, maar blijven rustig door grazen.

Achter Fae knerpen de schelpjes van het fietspad.

Patrique komt aangefietst. Bij Fae stapt hij af.

'Hé,' zegt hij. 'Eet je een appel?'

'Dat zie je toch.'

'Muis en Billy zijn er niet.'

'Nee.'

Patrique knijpt eens in de handremmen en kijkt Fae aan.

'Muis wil niet meer.'

'Wat niet?'

'Verkering.'

Er glijdt een rare appelbrok door Faes keel. Ze kijkt Patrique aan. Ze ziet zijn bolle wangen, zijn mooie bruine ogen.

34

Pfff, denkt ze bij zichzelf. Ik geloof er geen moer van. Volgens mij wil jij verkering met me.

Patrique blijft staan. Hij trekt een beetje aan zijn stuur en kijkt Fae zo nu en dan vluchtig aan.

Fae zegt lekker niets. Een tijdje niet.

Dan draait ze haar hoofd weg en zegt: 'Je vergeet wat.'

'Wat dan?'

'Koekjes eten.'

Woest draait Patrique zijn fiets om en rijdt weg.

Fae zucht. Als een konijntje knaagt ze de stukjes rond het klokhuis weg en als er niets meer dan een paar pitten verstopt in een kruisje overblijven, geeft ze de rest van de appel een slinger het weiland in.

Als ze van het hek af springt, komen Muis en Billy de hoek om gesjeesd. 'Het huis staat in de fik! Het clubhuis!'

Fae bedenkt zich geen moment, ze springt op haar fiets en racet achter de jongens aan.

Volle rode vlammen cirkelen omhoog. De brandweer is al uitgerukt en spuit waterstralen tegen het huis. Zo af en toe lijkt er binnen iets te ontploffen en schieten hoge vlammen naar buiten.

Er staan veel kinderen te kijken.

Fae staat naast Muis. Haar hart bonkt. Van de vlammen, van de gloed, van Muis die staat te springen alsof hij het meest gelukkige kind van de wereld is. Ze kijkt naar hem, en weer naar de vlammen.

'Muis wil niet meer.'

Twee weken verkering.

Ach.

Wat maakt het eigenlijk uit, denkt Fae. Als Muis maar bij me is.

Het is voorbij! Eindelijk van school af. Lekker een heel lange zomervakantie. Misschien gaat Muis daarna helemaal niet meer naar school.

Hij moet in zijn eentje naar een school voor kinderen die moeite hebben met lezen. Hij heeft helemaal geen moeite met lezen, hij vindt er gewoon geen moer aan. En Billy moet naar Amersfoort. Daar is een school waar je niet hoeft te rekenen en te lezen. Alleen timmeren. Nou ja, een beetje rekenen moet je wel kunnen om de juiste maat planken te zagen, maar meer ook niet.

Muis ligt lekker in de zon te dromen over de afscheidsavond. Samen met Billy heeft hij een stukje gespeeld, de luierboogiewoogie. Als twee baby's met een luier om en een speen in hun mond, hebben ze een liedje gezongen over de basisschool. Hoe ontzettend leuk het was.

Muis grinnikt bij de gedachte aan meneer Van Veen, die voor ieder kind een apart afscheidswoordje hield. Hij zei dat hij van iedereen had gehouden, zelfs van Muis en Billy, ondanks hun streken. Terwijl hij dat vertelde, was Muis naar hem toe gegaan en had zijn hand vastgepakt. Meneer Van Veen werd er zenuwachtig van. En toen hij uitgesproken was, was Muis op zijn tenen gaan staan en had de man een kus op zijn wang gegeven. Hij wist niet waar hij kijken moest, die grote man in zijn blauwe pak.

Het was een hechte klas, vond de meester van groep acht. Hij had nog nooit zo'n hechte groep meegemaakt.

Dat was ook wel zo. Ze moesten allemaal janken: Fae, Billy, Patrique, Muis, Gonneke, Dolores, Prissila, Maarith, Jason, Charley, Trúc en alle andere kinderen.

De hele avond lagen ze huilend in elkaars armen. Behalve toen Muis en Billy het stukje deden, toen lag iedereen krom van het lachen.

Er wordt op de poort geklopt. Snel komt Muis overeind, trekt een T-shirt aan en strijkt zijn haren glad.

Prissila steekt haar hoofd om de poortdeur en als ze Muis ziet zitten, loopt ze de tuin in.

'Ben je alleen thuis?' vraagt ze, terwijl ze een beetje angstig om zich heen kijkt.

Muis knikt. Zijn moeder is aan het werk en zijn broer is naar een nieuwe liefde, hij weet niet eens wie, Gonneke, of Dolores, of iemand anders uit het dorp.

'Ben je echt alleen? Kijk eens wat ik heb.' Ze graait met een paar vingers in een klein stoffen tasje dat ze schuin om haar middel heeft hangen en haalt er een pakje sigaretten uit.

'Woow!' roept Muis die meteen rechtop gaat zitten. 'Hoe kom je eraan?'

Prissila lacht geheimzinnig. Ze gaat in het gras zitten en haalt een sigaret uit het pakje.

'Geef mij er ook een.'

Prissila haalt nog een sigaret uit het pakje en geeft die aan Muis. Hij stopt hem tussen zijn lippen, alsof hij al jaren rookt.

'Nu doet ie het echt wel hoor,' zegt Prissila als Muis de sigaret iets te lang in het vlammetje van de aansteker houdt.

Muis trekt aan de sigaret, stikt bijna in de rook, maar laat niets merken.

Samen roken ze een sigaret, Prissila zittend in het gras,

en Muis op zijn stoel. Hij oefent in het as aftippen, wat je op verschillende manieren kunt doen. Je kan aan de sigaret schudden, je kunt hem tussen middelvinger en duim houden en dan met de wijsvinger tippen, je kan ook de sigaret naar binnen draaien en met je ringvinger de as er aftippen. Dat staat goed.

Hij neemt nog een trekje. Niet te snel, anders wordt hij licht in zijn hoofd. Prissila heeft vaker gerookt, dat kan je zien, ze is veel eerder klaar. Met een volleerd gebaar draait ze de peuk uit in het gras en gaat languit liggen, met haar handen onder haar hoofd. Ze tuurt naar de blauwe lucht en zegt niets.

Muis kijkt naar haar, het bleke meisje met de donkere wenkbrauwen en haar brede kaak.

'Je hebt een snor,' zegt Muis ineens.

Prissila beweegt haar ogen naar links en kijkt Muis aan.

'Ja, je hebt een snor.'

Ze wordt een beetje rood. Ze weet wel dat ze boven haar lip een donkere gloed heeft, maar om dat nou meteen een snor te noemen, is wel erg overdreven.

Plotseling springt Muis op. Hij gooit de peuk op de grond, wil hem uittrappen, maar bedenkt dat hij geen schoenen draagt, dus drukt hij hem met zijn hand uit.

'Mijn moeder heeft hars,' zegt hij. 'Kom op, we gaan je snor harsen.'

'Doet dat zeer?' vraagt Prissila.

'Nee.'

Samen staan ze voor de spiegel, Prissila kan zichzelf zien, maar Muis niet, als hij zijn hoofd in zijn nek legt, kan hij nog net zijn vriendin in de spiegel zien. Alle meisjes zijn groter dan hij, maar Muis zit er niet mee.

'Zie je het?' vraagt hij.

Prissila knikt. Een paar haartjes. Ja.

'Kom op, harsen!'

'En dan?'

'Dan ben je ze voor altijd kwijt.'

Muis dirigeert Prissila naar de tuin en haalt uit de badkamer een plak hars. Beneden houdt hij de plak een tijdje onder de kraan.

'Daar kom ik!' roept hij.

Met een druipende plak knielt hij bij haar neer en legt voorzichtig de hars op haar bovenlip. Muis begint te tellen terwijl Prissila de hars langzaam kouder voelt worden.

Als hij bij de zestig is, pakt Muis de hars vast en trekt hem los. Prissila gilt het uit van de pijn en grijpt direct naar haar bovenlip.

'Wat doe je!' roept ze. 'Mijn hele vel ligt eraf!'

'Welnee,' antwoordt Muis. 'Alleen maar wat haartjes, kijk maar.'

Prissila voelt. Het is glad, babyglad.

'Heb ik nu nooit meer een snor?' vraagt ze.

'Nooit meer,' antwoordt Muis.

Het is een perfecte dag om loeihard door de straten te sjezen. Swingend fietst Muis op het kruispunt af. Hij heeft alles scherp in de gaten, hoe harder je rijdt, hoe beter je moet opletten. Er komt een auto van rechts, dat ziet hij goed. Maar als hij op tijd een slinger aan zijn stuur geeft, kan hij net achter de auto langs rijden en hoeft hij geen vaart te minderen.

Hoppa!

Maar aan de auto zit een aanhangwagen. Muis remt als een gek en gooit zijn stuur om. In vliegende vaart rijdt hij tegen de aanhangwagen op, slaat over de kop en wordt over de kar tegen een boom geslingerd.

Versuft blijft hij liggen, zijn hoofd doet pijn, zijn hand, zijn elleboog, en zijn benen liggen er ook een beetje raar bij.

Muis draait zijn hoofd een beetje, beweegt de rest, alles doet het nog.

Een eindje verderop staat de auto. De bestuurder komt naar Muis toegelopen.

'Hé!' roept Muis. 'Zag u mij niet?'

Hij springt op en pakt zijn fiets van de stoep. Het stuur staat erg scheef, maar hij kan er nog best mee fietsen.

De man kijkt Muis aan. 'Zag je míj niet?' vraagt hij. 'Gaat het?'

'Shit hé,' zegt Muis. 'Wat een klotekar!'

'Gaat het?' vraagt de man nog een keer.

'Best. Aju!' Muis springt op zijn fiets en met het rare scheve stuur fietst hij weg.

Als Muis de kamer binnenkomt, ligt Billy languit op de bank tv te kijken.

'Wat is er met jou gebeurd?' vraagt hij, als hij het gehavende hoofd en de blauwe benen van zijn vriend ziet.

'Foutje,' grijnst Muis en gaat naast Billy op de bank zitten. Zonder iets te zeggen, pakt hij de arm van Billy en legt hem op zijn knie. Met zijn vingers trippelt hij van de hand tot aan de elleboog. Eerst een paar keer snel, om de huid te masseren, dan blijft hij met zijn korte nagels langer op één plek kietelen. Ondertussen kijken de jongens naar de tv, waar motorrijders plat door de bocht over een circuit racen.

Billy vraagt niet of Muis pijn heeft. Muis heeft nooit pijn, lijkt het. Misschien komt dat doordat hij zoveel lacht en altijd vrolijk is.

Na een tijdje gaat Billy met zijn hoofd aan de andere kant van de bank liggen en trekt zijn T-shirt omhoog zodat Muis zijn rug kan kietelen. De jongens hoeven niets te zeggen of te vragen. Zolang ze elkaar kennen, kietelen ze.

'Hier nog even,' zegt Billy. 'Nu hier. Nee, daar. Iets hoger, iets meer opzij. Andere opzij. Ja hier. Mmm.'

'Wanneer moet jij naar school?' vraagt Muis na een tijdje.

'Weet ik veel.'

'Ik ook niet.'

'Ik denk dat ik niet ga.'

'Wat niet?' vraagt Billy die al lekker sloom is van de vijf uren dat hij tv heeft zitten kijken, maar nu nog slomer wordt van het gekietel.

'Naar school, wat heb je eraan?'

'Niets.'

'Nee niets.'

'Ik ga later toch gewoon werken,' zegt Muis.

'Ik ook.'

'Ik word later rijk, schatrijk.'

'Ik ook,' antwoordt Billy.

'Hoe eerder je werkt, hoe sneller je rijk bent.'

Plotseling staat Muis op. 'Kom!' roept hij. 'We gaan naar het dorp!'

Muis is meteen de kamer uit. Hij loopt de trap op, naar de badkamer. Hij haalt een veeg uit een grote pot gel, smeert het in zijn haren en brengt ze in model. Even kijkt hij in de spiegel, knikt zichzelf goedkeurend toe en loopt weer naar beneden.

Het stuur van de fiets wordt rechtgezet. De jongens sjezen de straat uit.

Op het parkeerterrein van de supermarkt zien ze een eenzame kar staan. Muis remt, springt van zijn fiets en rent ernaartoe. Hij rijdt de kar in de rij andere karren en haalt er een muntstukje van vijftig cent uit.

Als hij zich omdraait, is Billy er met de volgende kar.

Dat is al een euro.

Meer is er niet. De jongens springen weer op hun fiets en rijden naar de volgende supermarkt. Totdat Billy zo hard op zijn rem staat, dat Muis bijna op hem knalt.

'Moet je kijken,' zegt hij. 'Een kar in de tuin.'

Er staan meer karren in tuinen, in de buurt van de supermarkt. Blijkbaar rijden mensen met volle karren naar hun huis en laten ze ze daar staan.

'Muis,' zegt Billy na een tijdje. 'Als we nou eens achter de huizen gaan kijken.'

Direct gaan de ogen van Muis fonkelen. Door de gangen,

achterom bij de huizen, de achtertuinen in! Niet bij de vrijstaande huizen, waar het dikke grind zo knerpt, maar in de Paulus Potterstraat, waar je moeiteloos achterom kunt lopen en rustig over de schutting kunt gluren.

Muis en Billy lopen het gangetje in, slaan links af en kijken in de tuin. Meteen raak, twee kratten bier.

'Ga jij?' vraagt Billy.

'Is goed.'

Muis haalt zijn neus eens flink op, duwt het hekje open en loopt de tuin in. Hij loopt gewoon de tuin in! Alsof hij er woont! Billy's hart stuitert zowat zijn lijf uit, maar die kleine rat lijkt nergens last van te hebben.

Wat doet hij nou, die idioot? Hij gaat voor het raam staan, loert naar binnen en gaat met twee armen staan zwaaien.

'Muis!' sist Billy.

Muis zwaait naar zijn vriend, pakt twee kratten en loopt de tuin weer uit. Billy houdt het hekje voor hem open en zodra Muis op het paadje staat, hollen de jongens weg.

Op de begraafplaats, achter de katholieke kerk, drinken ze een biertje. Naast hen staan twee kratten met zevenenveertig lege flesjes. De achtenveertigste was nog vol.

Muis grinnikt. 'Die dooien moesten eens weten,' zegt hij.

'Die dooien weten niets,' zegt Billy.

'Als ik later doodga, ga ik niet hier bij die roomsen liggen,' zegt Muis, die languit op het gras achter de graven is gaan liggen.

'We gaan helemaal niet dood,' zegt Billy.

'Nee, we worden later rijk.'

'Schatrijk.'

'Met gemak,' zegt Muis.

'We kopen een motor,' mijmert Billy.

'En een mooie vrouw.'

'Kopen?'

'Nee, die hebben we.' Muis neemt een slokje van het bier.

'Maar als ze gaan zeiken...,' zegt Muis na een tijdje.

'...dan gaan we bij elkaar wonen,' vult Billy aan.

'Ja,' zucht Muis en houdt het flesje in de lucht. 'Proost.'

'Billy, ik weet het!' roept Muis. Hij komt de kamer in gestormd, geeft Fae een zoen op haar wang en loopt naar de nieuwste elektrische piano van Billy's vader.

'Wat weet je nu weer?' vraagt Billy. Hij ligt languit op de bank naar een motorcrossprogramma op de tv te kijken.

'Hoe we de spoorbomen dicht krijgen.'

Muis duwt op het powerknopje van de piano, trekt aan een paar knoppen, maar doet het te enthousiast, zodat de knoppen van de piano vliegen.

'Shit!' roept hij. 'Ik wilde net een lied gaan zingen.'

Billy is in twee stappen bij hem. 'Doe terug man,' zegt hij. 'Als mijn vader dat ziet, hakt hij mijn kop eraf.'

Zo goed mogelijk frommelt Muis de knoppen terug in de gaten, maar ze blijven niet echt zitten.

'Wat doe je?' zegt Fae. 'Ben je gek man. Mijn vader is al zo chagrijnig de laatste tijd. Kom hier, dan doe ik het wel.' Ze neemt de knoppen van Muis over en draait ze terug in de gaten, maar ook nu blijven ze niet zitten.

'Wat nu, Muis?' Sjef vermoordt ons.

'Shit!' Muis slaat zijn armen om haar heen en houdt haar stevig tegen zich aan geklemd.

'Faetje, mijn Faetje,' zingt hij. 'Maak je niet druk. I love you forever.'

Billy en Muis scheuren samen naar de Stationslaan.

Bij het restaurant gooien ze hun fietsen tegen de struiken en lopen naar het spoor, op zoek naar het raadsel.

Tussen de rails groeit hoog gras, er liggen kiezelstenen, schelpjes en platgereden frisdrankblikjes, de bielzen tussen de rails lijken eeuwenoud.

'Kijk!' roept Muis, als ze een eindje gelopen hebben. 'Een kastje langs het spoor. Volgens mij is dat het sein voor de bomen.' Hij ligt direct plat op zijn buik op het smalle paadje, met zijn voeten in de struiken.

'Hoe dan?'

'Dat gaan we zien.'

De jongens wachten net zolang totdat er een trein nadert. De spoorbomen aan de Stationslaan gaan dicht, de trein komt eraan. De grond onder hun lichaam begint te trillen, en ineens gaat het razendsnel. Nu pas merken ze dat ze veel te dichtbij liggen. Ze moeten snel wegspringen, om niet door het treinstel meegezogen te worden.

Half in de struiken weggedoken, sluit Billy Muis in zijn armen.

'Je was er bijna aan, man,' hijgt hij.

'Shit man,' roept Muis. 'Wat gaat zo'n trein teringhard.'

'Toch doet het kastje iets,' zegt Muis als ze uit de struiken stappen. Hij haalt een pakje sigaretten tevoorschijn en steekt er een op. Stoer houdt hij de sigaret tussen zijn duim en twee vingers, terwijl hij ondertussen rustig nadenkt.

Na een kwartier dendert de intercity voorbij. Hij gaat zo hard, dat de jongens niet de tijd krijgen naar het kastje op de grond te kijken. Er zit niets anders op, ze moeten weer een kwartiertje wachten.

Maar aan de overkant moet ook zo'n kastje zijn!

Muis en Billy steken het spoor over en lopen een klein stukje terug. Ook daar is een kastje aan de rails. Op hun buik, maar nu wel wat verder van de rails vandaan, wachten ze de trein af. Eerst klingelen de bellen bij de overgang van de Torenlaan, de trein rijdt eroverheen, mindert vaart en komt nu langzaam naar de overgang bij de Stationslaan.

Op het moment dat de kop van de trein het kastje passeert, rinkelen bij de Stationslaan de bellen en gaan daar de bomen naar beneden.

'Zie je wel!' roept Muis. 'De trein gaat eroverheen en dat is het sein.'

Maar hoe gaan ze dan weer open? Want als de trein het kastje niet meer raakt, is hij nog niet in zijn geheel de overgang gepasseerd.

Er moet voorbij de bomen nog een kastje zijn. Of is er een wachttijd: na drie seconden gaan de bomen dicht en nadat de trein voorbij het kastje is, duurt het nog tien seconden voordat ze weer opengaan.

De jongens gaan weer op de grond liggen om te kijken of hun hypothese klopt.

Zodra de sneltrein voorbij het kastje raast, beginnen ze te tellen. Na nog geen twee tellen gaan de bomen naar beneden en na twintig tellen is de overgang weer vrij voor het verkeer.

'Zo,' zegt Muis. 'En nu wij. Hoe doen ze dat?'

'IJzer op ijzer,' zegt Billy.

'IJzer op ijzer,' zegt Muis hem na. Hij steekt nog maar een sigaret op.

'Die trein gaat met zijn wielen over het kastje,' zegt Billy.

De jongens lopen terug naar hun fietsen en zetten ze op slot. Met de sleutels gaan ze weer in de struiken liggen. Deze kant is beter, meer beschut, dus veiliger voor mogelijke baanopzichters.

De sleutels leggen de jongens op het kastje. Er gebeurt niets.

'Shit!' roept Muis. Maar Billy doet het nog een keer. Hij

slingert met alle sleutels van zijn sleutelbos over de ijzeren plaat.

Na twee seconden gebeurt het. De bellen gaan rinkelen en de bomen gaan dicht.

Muis springt op en gilt het uit van opwinding.

'Sst!' sist Billy, die met de sleutels blijft wiebelen. 'Hou je bek.'

In de verte, tussen de struiken door, kunnen de jongens het zien: de bomen gaan dicht, de mensen blijven staan wachten, auto's laten hun motor ronken, scooters geven eens een dotje gas. Iedereen wacht, en wacht en wacht.

'Bil!' roept Muis. 'Dit is te gek! Heel Baarn wacht. En Soest erbij!'

'Hou je bek,' sist Billy glunderend. 'Ga jij even wiebelen, ik heb geen arm meer over.'

De rij mensen die voor de bomen wachten, groeit snel. Sommigen bukken zich om onder de bomen door te lopen, gaan op de rails staan om te kijken waar de trein blijft. Auto's toeteren, enkele scooters gaan om de bomen heen en rijden verder.

Inmiddels zijn er al drie treinen voorbij gekomen, eerst een intercity, toen de stoptrein naar Amersfoort. Een scooter, die om de bomen was gereden, kon nog net op tijd teruggaan. Als laatste kwam de intercity vanuit Amersfoort. Die maakte zoveel kabaal dat er niemand de overgang passeerde.

De jongens wisselen elkaar om de beurt af, totdat Muis het niet meer houdt en op zijn fiets springt. Hij rijdt over de Vondellaan naar de dichte spoorbomen bij de Torenlaan. Overal staan toeterende auto's. Honderden meters lang!

Bij de overgang ziet Muis twee mannen in gele jasjes

staan. Met een koffer in de hand staan ze aandachtig naar de lichten te kijken, die maar blijven knipperen.

Overal is het druk. Het terras bij de snackbar staat vol. Zelfs het pleintje aan de overkant!

Muis fietst de Torenlaan in, waar de file tot aan de Pekingtuin staat. Auto's blokkeren de kruising bij de Boslaan, de vier wegen die daarop uitkomen staan ook al vol auto's.

Muis sjeest tussen de auto's door en is apetrots. Dit is geweldig! Heel Baarn staat vast! Heel Baarn is in de war!

Muis heeft de neiging om naar de mensen te gaan zwaaien, maar hij weet zich te bedwingen. En ondertussen rinkelen de bellen maar door!

Als Muis weer terugfietst over de overgang bij de Stationslaan, hoort hij de bellen in de verte niet meer. Als hij naar links kijkt, zie hij auto's over de Torenlaanovergang rijden.

Snel smijt hij zijn fiets tegen de bosjes en rent naar Billy toe.

Bij het kastje is hij niet. Muis kijkt om zich heen. Aan de overkant lopen de twee mannen met de gele jasjes. Vliegensvlug duikt hij achter een boom.

Glimlachend haalt hij een sigaret tevoorschijn. Heel Baarn plat, door een sleutel tegen een kastje te houden!

Na een tijdje hoort hij zijn vriend fluiten. Het bekende hoge toontje, drie keer kort achter elkaar. Muis fluit terug, twee keer kort, pauze en weer twee keer kort. De jongens lopen naar elkaar toe en slaan hun handen tegen elkaar.

'Muisie!'

'Billy!'

'Wat doen we?'

'Nog een keer,' zegt Muis direct. 'Te gek, man.'

'We kunnen ook even wachten, totdat de helft weg is, en dan gooien we hem weer dicht.'

'We gaan ze gek maken,' glundert Muis. 'We wisselen het af. Als de trein voorbij is, gaan de bomen een seconde open en dan gooien we ze weer dicht.'

De volgende dag staat Muis voor de deur van Billy. Zijn haren zitten netjes in de gel, hij draagt een stoer leren jack en in zijn hand houdt hij de *Baarnsche Courant*.

Het staat erin, op de voorpagina: 'Baarn ontregeld door een defect sein. De spoorwegen staan voor een raadsel. De lengte van de file als gevolg van de gesloten spoorbomen aan de Torenlaan wordt geschat op vijftien kilometer. Minstens dertig automobilisten hebben een schadeclaim ingediend wegens te lange wachttijden en gederfde inkomsten. In de geschiedenis van de spoorwegen is dit nog nooit voorgekomen.'

Muis klemt de krant stevig onder zijn arm. Hij snuift eens flink en veegt door zijn haren. Billy en Muis, ze hebben het hem weer geflikt.

Net op het moment dat Muis een pakje sigaretten uit zijn broekzak wil pakken, zwaait de deur open en staat Sjef, de vader van Billy voor zijn neus. Snel stopt Muis zijn sigaretten terug in zijn achterzak.

'Muis,' bast Billy's vader. 'Heb jij aan de knoppen van mijn piano gezeten?'

Even is Muis van zijn stuk gebracht, dan begint hij te stralen.

'Ja Sjef!' roept hij. 'Wat een shitknoppen. En dat voor zo'n duur ding!'

'Billy!'

Muis staat in de huiskamer van zijn vriend. Hij danst een beetje heen en weer en strijkt met zijn handen door zijn haren. De deuren naar de tuin staan open, maar er is niemand te bekennen.

Plotseling zwaait de keukendeur open. Nog voordat Muis zich kan omdraaien, krijgt hij een duw tegen zijn knieën en valt naar voren.

Achter hem staat Kick, het kleine broertje van Billy en Fae, die al negen is en net zo groot als Muis.

Muis gaat weer staan. 'Hé,' zegt hij. 'Wat moet je?'

Bam! Dat was een stomp van Kick in Muis' buik. Als een volleerd acteur krimpt Muis in elkaar en kermt alsof hij ter plekke doodvalt.

'Waar is je broer?' kreunt Muis. 'Genade!'

Maar Kick is zo blij dat hij eindelijk een vriend van Billy de baas is, dat hij nog even lekker door stompt. Totdat Muis zich omdraait en snel naar de gang vlucht.

Boven ligt Billy sloom op zijn bed met de Playstation te spelen.

'Wat is er met jou?' vraagt Muis die naast zijn vriend op het bed springt en direct de rug van Billy begint te kietelen. 'Hé man, er is iets.'

Billy trekt zijn schouders op.

'Jawel, er is iets.'

'Ruzie met die ouwe.'

51

'Wat dan?' Muis beweegt zijn nagels van boven naar beneden, van zij naar zij, door de haren van zijn vriend, langs zijn oren en weer naar beneden.

'Weet ik het. Ik zat tv te kijken, toen kwam hij thuis en ging helemaal uit zijn dak. Dat ik nooit wat doe en te veel cola drink, weet ik veel. Ik drink niet eens cola.'

'Nee,' antwoordt Muis. 'Shit. Die ouwe altijd. Ah joh, dan kom je toch bij mij tv kijken. Nu ik.'

Muis haalt zijn hand van de rug van Billy en gaat met zijn neus plat op het dekbed liggen en met zijn armen strak langs zijn lijf. Nog even maakt Billy het spelletje af, dan legt hij de controller op de grond en kietelt zijn vriend.

'Hé man,' zegt Billy na een tijdje. 'Er is iets.'

Muis trekt zijn schouders op.

'Jawel, er is iets.'

'Ik moet van school.'

Het eerste jaar op de middelbare school is bijna om en wie niet genoeg punten heeft, moet naar een lager niveau. Is dat er niet op dezelfde school, dan moet je een andere zoeken.

Billy stopt met kietelen. Dan duikt hij ineens boven op zijn vriend. 'Kom bij mij man! Dan hoef je alleen maar te timmeren!' Hij slaat zijn armen om Muis heen.

'Te gek jongen, dan zijn we weer samen!'

Maar Muis blijft als een dooie liggen.

'Zei ik ook al, maar dat vindt mijn ma niet goed. Ik moet nu naar een of ander debielengesticht.'

'Weet jij wat wij moeten doen? Geld verdienen!'

Binnen tien minuten staan de jongens voor de supermarkt. Karren ophalen duurt te lang. Kratten uit de tuin halen duurt nog langer. Tijd is geld!

Achter de supermarkt staan kratten met lege flessen

hoog opgestapeld te wachten totdat de vrachtwagen ze komt ophalen. Het is simpel, Billy en Muis springen over een laag hekje en lopen naar de achterkant van de winkel. Als er geen gevaar dreigt, grijpen ze allebei twee kratten en rennen zo snel mogelijk weer terug. Met uitgestreken gezichten gaan de jongens de winkel in, lopen naar achteren, waar de inname van de lege flessen is, leveren de flessen in en wandelen met het bonnetje terug. Ondertussen graait Muis nog even een pakje sigaretten uit de vitrine en laat het in zijn broekzak glijden. Bij de kassa wachten ze totdat ze hun geld hebben ontvangen en lopen de winkel weer uit.

De buit is binnen.

Aan de overkant van de winkel gaan de jongens op een muurtje een sigaretje zitten roken. Als die op is, springen ze van het muurtje af en halen achter weer vier lege kratten op.

Drie keer doen ze het, daarna zou het gaan opvallen.

Met een biertje in hun hand en een peuk in hun mond rusten ze even later uit op het muurtje aan de overkant.

'Zag je die meid?' zegt Muis met een dichtgeknepen oog om de sigarettenrook buiten te houden. 'Die achter de kassa. De laatste.'

Billy knikt.

'Die heeft lekkere tieten.'

Billy kijkt Muis aan.

'Hoe weet jij dat?'

Muis lacht geheimzinnig, trekt nog stoerder aan zijn sigaret en haalt zijn schouders op.

'Ervaring.'

'Billy, Fae! We gaan zwemmen!'

Fae ligt op een luie stoel in de tuin. Muis loopt naar haar toe en geeft haar een zoen op de mond. Snel laat Fae haar boek los, slaat haar armen om Muis heen en trekt hem naar zich toe. Hij valt over haar heen en voordat Muis nog iets kan zeggen, liggen de twee te tongzoenen.

Niet dat ze verliefd zijn. Muis en Fae oefenen. Voor later. Voor anderen. Voor geld. Voor sigaretten.

Ze tongen in het zwembad, thuis en op feesten. Doordat zij het zo openlijk en vanzelfsprekend doen, tongt nu heel Baarn. Wie het nog wil leren, kan naar hen kijken. Uiteraard voor geld.

Ach, het zijn meer gymnastiekoefeningen. De kunst is dat je geen wasmachine bent en maar eeuwig blijft rondjes draaien. Een centrifuge is nog erger, dan ga je te snel, en een droogtrommel is helemaal een ramp, heen en weer en heen en weer.

'Ik klijg een slusje,' zegt Muis.

'Wat?'

'Een slusje.'

Fae laat Muis los en duwt hem van zich af. 'Wat zeg je?'

'Ik krijg een zusje.'

'Een zusje?'

Even is Fae stil, dan begint ze onbedaarlijk te lachen. 'Jij een zusje, Muis? Van wie?'

'Van mijn moeder.'

'Ja, sloompie, maar van wie nog meer?'

'Van Joop.'
'Joop? Wie is Joop?'
'Haar nieuwe vriend.'
Billy komt de tuin in.
'We krijgen een zusje!' roept Fae.
Direct is Billy knalrood. 'Wie, wij? Ma en die ouwe?'
'Nee, ik!' roept Muis.
'Ja,' roept Fae. 'Dat bedoel ik!'

Billy, Patrique, Muis en Fae liggen op hun handdoek in het grasveld van het grote openluchtzwembad. Muis ligt tussen Billy en Fae in, hij kietelt de rug van zijn vriend, terwijl hij gekieteld wordt door Fae.

Onderweg hebben de drie het voortdurend over het zusje van Muis gehad. Hoe weet hij dat het een zusje wordt? Dat weet hij niet, dat wil hij graag. En hij gaat met haar fietsen en voor haar zorgen en haar beschermen en alle rotjongens wegschoppen en speelgoed voor haar kopen en haar meenemen naar de speeltuin.

'Maar eerst is het nog een baby,' had Fae lachend gezegd.

Nu ligt ze loom bij haar twee vrienden.

Patrique ligt met zijn hoofd zowat tegen haar hoofd. Hij leest een boek, terwijl hij ondertussen hapjes neemt van een heerlijke grote dennenkoek die je alleen hier in het zwembad in het snoepwinkeltje kan kopen.

'Je moet niet zoveel koekjes vreten,' zegt Fae.

'Waarom niet?' vraagt Patrique.

'Geen een meisje wil een koekjesetend vriendje.'

'Hoe weet je dat?' vraagt Patrique.

'Dat weet ik.'

'Jij ook niet?'

'Wat niet?'

'Wil jij ook geen koekjesetend vriendje?'

Fae schiet in de lach. Ze zijn nu al meer dan tien jaar met elkaar bevriend, en iedere dag wil Patrique verkering met Fae. Maar Fae hoeft geen verkering met Patrique. Zoals het nu is, is het goed.

De hele club uit Baarn is er, en iedereen zit lekker dicht bij elkaar: Prissila, die als eerste uit het dorp een tattoo heeft laten zetten, Maarith met haar nieuwe skatevriendje, Mo, met zijn voetbal, Trúc, Dammetje, Charley met een iPod vol hiphop, Gonneke met een veel te kleine bikini omdat ze zo trots is op haar borsten, Dolores, die nog even blijft staan omdat ze op zoek is naar een nieuw vriendje. Patrique hoeft ze niet, die heeft ze al drie keer gehad, met Billy is het ook allang weer uit, de anderen zijn ook al aan de beurt geweest, haar hoop is nu gevestigd op Mo, de mooiste Turkse jongen van het dorp, die ook nog eens geweldig kan voetballen. Het enige nadeel aan Mo is dat hij nog geen seconde naar haar heeft gekeken, zich misschien niet eens bewust is van haar aanwezigheid.

Uitdagend legt ze haar handdoek vlak bij Mo neer, maar het heeft geen zin. Hij praat met Trúc over de nieuwe trainer van zijn selectieteam.

Dan maar naar een ander uitkijken. Nu ze allemaal op verschillende middelbare scholen zitten, is de vriendengroep zo groot geworden, dat er wel iets voor Dolores bij moet zitten.

'Wo,' zegt Muis ineens. 'O ho, wist je dat?'

'Wat?' Billy ligt een beetje voor zich uit te staren terwijl zijn vriend hem kietelt.

'Moet je kijken,' zegt Muis. 'Die tieten.'

Heel veel jongens kijken nu in de richting waarnaar Muis kijkt. Een paar meter verderop liggen drie meisjes op hun buik op een handdoek te zonnen. Ze hebben hun hoofd in hun armen gelegd zodat ze moeilijk te herkennen zijn.

'Wat dan?' vraagt Billy.

'Die middelste joh, die heeft tieten als meloenen. Weet je wie dat is? Dat is die griet van de kassa.'

Muis is overeind gekomen en staart naar het meisje. 'Nooit geweten dat ze zulke tieten had in die gele schort met groene rand.'

'Veel te oud,' bromt Billy.

'Nou en.'

Muis haalt een pot gel uit zijn zwemtas, smeert er een klodder van in zijn haar en wrijft de rest aan zijn handdoek.

'Wat ga je doen?' vraagt Billy.

'Versieren,' antwoordt Muis met een peuk in zijn mond.

Alle jongens staren hem na. Muis, net anderhalve meter lang en nog geen dertien jaar oud, loopt met zijn bruine gespierde lijf uitdagend naar de drie meisjes toe, die toch minstens zeventien zijn. Hij gaat bij hen zitten, neemt een trek van zijn sigaret en biedt de meisjes er een aan.

Vol ontzag en jaloezie kijken de andere jongens toe hoe Muis zich tussen de meiden wringt, ze een stukje laat opschuiven, met hen babbelt en zich langzaam tot het meisje met de grootste borsten wendt. Met het grootste gemak praat hij, lacht hij en aait hij het meisje over haar rug.

Zijn vrienden kijken ernaar en allemaal denken ze hetzelfde: ik wou dat ik het durfde.

Hun monden hangen helemaal open als die kleine rat even later het meisje van de lege flessen omhelst en stevig gaat liggen zoenen.

Moenja, de moeder van Muis en Patrique, haalt de stofdoek over de vensterbank. Haar buik is groot en hard. Zo af en toe staat ze even stil, houdt haar buik vast totdat de spieren zich weer ontspannen.

De twee jongens hangen op de bank, Patrique leest een boek en Muis loert naar zijn moeder. Hij ziet dat ze langzamer werkt, dat ze vaker zucht en af en toe rechtop gaat staan om tot rust te komen. Muis houdt haar goed in de gaten. Straks krijgt hij een zusje! Nog steeds kan het natuurlijk ook een broertje worden, maar Muis wil een zusje. Hij is al een paar keer mee geweest naar de verloskundige om haar groei te volgen. Vaak is hij bij zijn moeder in bed gekropen, heeft hij zijn handen om haar buik gelegd en gevoeld hoe de baby bewoog.

Maar er is nog iets waarom hij zijn moeder zo scherp in de gaten houdt. Muis zakt tegen Patrique aan en geeft hem met zijn elleboog een klein zetje. Als Patrique opkijkt van zijn boek, knikt Muis met zijn hoofd naar zijn broek waar een grote bobbel te zien is. Patriques ogen worden groot van ontzetting.

Glunderend stopt Muis zijn hand achter de gulp, loert naar zijn moeder en haalt een mes tevoorschijn. Met één beweging knipt hij het open en draait het mes zo vlug rond dat het net een vlinder lijkt.

'Wat is dat? Doe weg!' fluistert Patrique, die angstvallig zijn moeder in de gaten houdt terwijl ze de stofdoek uit het raam uitklopt.

'Vlindermes,' glundert Muis. Hij klapt het mes in en stopt het weer in zijn broek achter de rits.

'Hoe kom je daaraan, idioot,' sist Patrique en verdwijnt met zijn hoofd weer in het boek.

Zodra Moenja naar de keuken is gelopen, haalt Muis het mes weer tevoorschijn. Hij klikt het open en met een stoer gezicht vlindert hij het ding door zijn vingers.

'Idioot,' zegt Patrique weer. 'Van wie is het?'

'Van mij.'

'Dat kan niet. Waar heb je hem vandaan?'

'Govers, de ijzerhandel.'

'Daar moet je vijftien voor zijn,' zegt Patrique.

Muis lacht geheimzinnig.

Plotseling schrikken de jongens van een gil op de gang. Vliegensvlug klapt Muis het mes in, stopt het achter zijn gulp en springt op.

In de wc staat hun moeder met de broek op haar enkels naar de wc-pot te staren waar een grote rode plas ligt en nog iets wat niet op een plas lijkt.

'Getver!' roept Muis, die meteen naast zijn moeder is gaan staan en haar hand pakt.

'Getver! Wat is dat, mam? Ga je nu bevallen? Komt ze er nu uit?'

'Ik denk het,' antwoordt Moenja. Ze spoelt door, trekt haar broek omhoog en loopt de gang weer in.

'Waar is Joop?' vraagt Patrique. 'Moeten we hem gaan waarschuwen?'

Moenja schudt haar hoofd. Zo'n vaart zal het niet lopen.

Die ochtend wordt Muis heel vroeg wakker. Hij knipt het bedlampje aan en ziet dat zijn broer nog ligt te slapen. Het is vijf uur, hij kan zich omdraaien en verder slapen, maar dat doet hij niet.

Muis springt uit bed en loopt naar de slaapkamer van zijn moeder.

Het nachtlampje boven het bed brandt, maar Moenja en Joop slapen. Zonder hen wakker te maken, tilt Muis het dekbed op, en kruipt dicht tegen zijn moeder aan, op het kleine stukje dat rest tussen buik en bedrand. Meteen valt hij in slaap.

Maar vlak daarna wordt Muis wakker van zijn moeder die puffend overeind komt. Hij schiet omhoog en kijkt haar aan.

'Mam!' roept hij. 'Heb je een wee? Is dit een wee?'

Moenja knikt met een van pijn vertrokken gezicht.

'Wacht!' roept Muis. 'Ik ga een stopwatch halen.'

Even later is hij terug met een stopwatch, gaat voor zijn moeder staan, die nog nazuchtend op het bed zit, en drukt op het knopje.

'En nu?' vraagt hij, terwijl hij van het horloge naar zijn moeder blijft kijken. 'Wat nu?'

'Niets.'

Zijn moeder zakt achterover in het kussen. Ze pakt de hand van Joop en zucht diep.

'En nu?' vraagt Muis, terwijl hij naar het horloge blijft kijken.

'Nu...,' verder komt zijn moeder niet. De volgende wee komt er aan. Ze gaat rechtop zitten, staat op en wil gaan lopen.

'Is dat weer een wee, mam? Is dit er weer een? De vorige was vier minuten geleden, is dat snel?'

Met een glimlach om haar mond om die lieve bezorgde jongen van haar, loopt Moenja door de kamer om zich te concentreren op de wee die als een heftige vloedgolf over haar heen raast. Op het hoogtepunt grijpt ze de bovenkant van de slaapkamerdeur vast en gaat er met haar rug tegenaan hangen. Joop zit rechtop in zijn bed, klaar om te helpen als dat nodig is.

Het is een paar uur later als Patrique slaperig de slaapkamer van zijn moeder binnenkomt. De weeën volgen elkaar snel op, Joop heeft zich aangekleed, een kopje thee gezet en is het huis uit om een boodschap te doen.

Patrique is bij zijn moeder en Muis in bed gekropen.
Moenja trekt haar T-shirt uit.
'Wat ga je doen?' vraagt Muis.
'Douchen,' zegt ze.
Muis springt uit bed. Hij pakt haar bij de arm en helpt haar naar de douche, waar ze in de bak gaat staan en zich afspoelt. Als ze klaar is en de douche uitstapt, drogen de twee broers haar voorzichtig af.

Even later is Joop terug met een grote bos bloemen, en wordt de kamer klaargemaakt voor de bevalling. Het was niet de bedoeling dat de jongens erbij zouden zijn, maar ze helpen zo goed en alles gaat zo snel, dat ze mogen blijven. De verloskundige vindt het ook prima. De jongens kijken toe hoe hun moeder op de baarkruk zit en met alle kracht die ze in zich heeft de laatste weeën doorstaat. Totdat een luide krijs haar verlost van de pijn: het is een meisje!

Muis weet het meteen: Nog nooit heeft hij zoveel van iemand gehouden als van dit glibberige gilmonster vol bloed en poep en pies, zijn zusje!
'Is er hier iemand die de navelstreng wil doorknippen?' vraagt de verloskundige.

'De vader?'

Moenja houdt het kleine huilende baby'tje dicht tegen zich aan.

'De jongens,' zegt ze. 'De broers.'

Patrique aarzelt, hij kijkt zijn broer aan, die glimmend en stralend naast de vroedvrouw is gaan staan om te kijken wat hij doen moet.

'Eerst zetten we de klemmen erop, wil jij dat doen?'

Onwennig pakt Patrique de klemmen van de verloskundige aan.

'Dan mag jij straks knippen,' zegt ze tegen Muis, die plotseling opspringt en vraagt of ze nog even willen wachten.

Hij komt terug met iets fonkelends in zijn hand.

'Mag ik?' vraagt hij, als hij ziet dat de twee klemmen op de navelstreng staan en de vroedvrouw een schaar in haar hand heeft, om die aan Muis te overhandigen.

Ze knikt.

Muis knipt het mes open, vlindert er een paar keer mee rond en voordat iemand kan reageren, scheidt hij met een heftige, snelle beweging zijn zusje van haar moeder.

'Wat heb je gedaan?' vraagt Moenja ontsteld als ze Muis in de kamer ziet staan.

Muis' armen en benen zitten in het verband, zelfs zijn hoofd is wit. Billy staat er schaapachtig bij te lachten. Hij kijkt naar het zusje dat in de box staat te spelen en vrolijk om Muis roept. Als een houten Klaas draait Muis zich naar Parel, trekt een pijnlijke grimas en maakt een zwaaibeweging met zijn arm.

'Muis! Wat heb je gedaan!' Moenja trekt met een woest gebaar haar ochtendjas verder dicht. Ze wil haar hand naar Muis uitsteken, maar die zet snel een stapje naar achteren.

'Zeg op!'

'Gevallen,' murmelt Muis.

'Gevallen? Hoezo? Waar?'

Billy blijft erbij staan kijken, alsof hij opdracht heeft gekregen geen woord te zeggen.

'Ach,' zegt Muis. 'Laat maar, het gaat wel weer over. Heb je een broodje gesmolten kaas voor me?'

Plotseling is Moenja knalrood en witheet tegelijk. 'Laat maar, laat maar! Man, je staat daar helemaal in het verband, en je zegt "laat maar". Kom hier, wat is er gebeurd. Laat zien.'

Ze wil de arm van Muis vastpakken, maar die kan net op tijd een stap achteruit zetten.

'Billy! vertel op. Wat is er gebeurd?'

'Hij is van de fiets gevallen,' stottert Billy.

'Je kletst. Je liegt! Weet je, ik heb het gehad met jullie. Ik

63

ben het zo verschrikkelijk zat. Ik word stapelgek van jullie. Altijd is er wat, altijd. Nooit heb ik eens rust. Twee van die rotjongens die de godganse dag achter elkaar aan lopen en de vreselijkste dingen uithalen. Nooit heb ik last van Patrique, altijd van jou, Muis. En van jou, Bil! Die branden, die natte kleren van beerputten en vijvers, die brand in de kraakpanden...'

'Dat waren geen kraakpanden,' murmelt Muis.

'Hou je mond! Als ik zeg dat het kraakpanden zijn, dan zijn het kraakpanden. Altijd donder je ergens in, altijd ellende. En volgens mij jat je ook. Hoe kwam je aan dat mes, toen Parel geboren was? Ja! Dat vergat ik steeds te vragen, maar ik weet het nog wel. Zeg op! Waar is dat mes? En je rookt ook. Je stinkt. Je kleren stinken altijd. Wat sta je er nu schaapachtig bij te kijken? Stelletje klieren. Billy! Donder op!'

Moenja wijst met haar vinger naar de deur, waardoor op dat moment Patrique binnenkomt, die verbaasd blijft staan kijken.

'Eruit, Billy. Ik ben het zat. Staat daar een halfdood kind van me, sta jij erbij alsof je als debiel geboren bent.' Even is ze stil, om naar adem te happen. 'Tot aan de grote vakantie wil ik jullie niet meer samen zien. Zorg maar eens dat je gewoon overgaat, zonder dat we allemaal de zenuwen hebben dat je het niet haalt en van school af moet. En nu, eruit!'

Als Billy langs Patrique door de deur loopt, kan Patrique het niet laten om even te lachen.

'Klootzak,' sist Billy hem toe, dan loopt hij de gang door en verdwijnt.

'Zo,' zegt Moenja. 'Daar zijn we vanaf. Dit gesodemieter wil ik niet meer, ik trek het niet meer. Aan tafel.'

Ze zet Parel in de kinderstoel, gaat zelf zitten en pakt een boterham.

Muis pakt ook een boterham, maar hij krijgt hem niet gesmeerd, het verband om zijn ellebogen zit in de weg. Hij schuift het bord naar voren zodat hij met rechte armen zijn brood kan beleggen en snijden. Maar dan: hoe krijg je een stukje met rechte armen in je mond?

'Vooruit, Muis, laat zien,' zegt Moenja die haar stoel weer naar achteren schuift en gaat staan.

'Nee mammie, dat hoeft niet.'

'Nu.'

Er zit niks anders op, Muis steekt zijn arm uit en Moenja draait het verband er af. Muis' arm ligt open en zit vol steentjes.

'Dit kan niet van een fiets komen. We gaan naar de dokter. Patrique, let jij op Parel? Ze kan zo naar bed.'

'Wel,' zegt Muis. 'Ik ging heel hard, ik fietste van een heuveltje.'

'Hou op met je geleuter. We gaan naar de dokter.'

Door zijn bril kijkt de huisarts Muis onderzoekend aan.

'Dit kan niet van een fiets zijn, beste knaap.'

'Jawel! Ik ging heel hard!'

'Dan kan het nog niet.'

De dokter pakt een pincet en met opeengeklemde lippen peutert hij stuk voor stuk alle steentjes uit de armen en knieën. Als de dokter eindelijk klaar is, pakt hij een borstel, spuit jodium in de wonden en boent ze schoon alsof het de keukenvloer is.

Muis kan wel schreeuwen van de pijn, maar hij geeft geen krimp.

Als hij eindelijk helemaal schoon is en lijkbleek de behandelkamer wil verlaten, kijkt de dokter hem nog een keer aan. 'Muis, dit kan niet van een fiets komen,' zegt hij ernstig.

En hoewel de spieren in Muis' gezicht stijf zijn geworden, weet Muis er toch een lach uit te persen.

'Jawel, dokter,' antwoordt hij. 'Ik ging heel erg hard!'

'Dokter,' zucht Moenja. 'Zo kan het toch niet langer?'

Na vier weken zijn de wonden van Muis zo goed als geheeld. In de tussentijd heeft hij de opgevoerde scooter van Billy's buurman maar even laten staan.

Muis loopt niet meer in het verband, maar de grote korsten op zijn armen en benen wil hij nog wel een beetje beschermen en daarom draagt hij een oude jas van Fae. Hij draagt hem vaak, misschien wel om haar altijd dicht bij zich te hebben, om omringd te zijn door haar geur en warmte.

Er staat een hele club in de Bruna: Fae, Billy, Prissila, Mo, Charley, Patrique en zijn vriend Rafael, en natuurlijk Muis in de grote jas van Fae.

Ze kijken in de seksblaadjes en motormagazines, Prissila keurt de nieuwe agenda's en Fae leest een tijdschrift over mooie gebouwen.

Muis springt achter Fae langs, hij zwaait wild met zijn armen.

'Doe even normaal,' zegt Fae.

'Kijk!' Hij springt als een aap heen en weer terwijl hij een agenda van de tafel pakt, ermee zwaait en hem in zijn zak stopt. Hij loopt naar de kassa, pakt een paar pakjes sigaretten, loopt terug, gaat weer als een dolle staan zwaaien met de sigaretten in zijn handen, en stopt ze vervolgens in zijn zak.

'Wat doe je, gek?' vraagt Fae.

'Kijk!' roept Muis, die nu met twee seksblaadjes staat te zwaaien.

'Een bewakingscamera!'

'Doe even normaal,' sist Fae. 'Hou ermee op.' Ze is knalrood geworden en kijkt bang naar de verkoopster, die niets in de gaten schijnt te hebben.

'Hou ermee op,' sist Fae nog een keer.

Even later trekt Muis aan de grote capuchon van de jas van Fae.

'Blijf van me af.'

Muis trekt zich niks van Faes opmerking aan, hij blijft aan haar capuchon plukken.

Dan is Fae het zat. Ze legt het designblad terug in het vak en loopt de winkel uit. Maar als ze weg wil fietsen, komt iedereen de winkel uitgerend.

'Faetje!' roept Muis. 'Wacht even! Kom eens hier.'

Muis loopt naar Fae toe en pakt iets uit haar capuchon. Een motorblad.

'Voor jou, Billy,' zegt hij.

Weer graait hij in de capuchon van Fae. Nu pakt hij er een puntenslijper en een pritstift uit. 'Voor jou, Gonneke.'

Dolores krijgt een zakje potloden met een grote rode gum.

Fae ontploft zowat. 'Ben je helemaal gek geworden, Muis!' roept ze. 'Je jat gewoon spullen uit de winkel en gooit ze in mijn muts! Hou op! Breng terug!'

Kalm kijkt Muis haar aan. 'Doe nou maar rustig,' zegt hij. 'Voor jou heb ik ook wat.' Nog een keer graait hij in haar muts en overhandigt haar een roze kaart met een baby erop.

'Rot toch op,' zegt Fae en ze fietst boos weg.

Twee maanden later, aan het begin van de zomervakantie, is Fae jarig. Ze is vijftien jaar geworden.

Al vroeg, als Fae de slaap nog uit haar ogen moet wrijven en de familie nog niet eens voor haar heeft gezongen, staat Muis naast haar bed. Via de regenpijp is hij naar boven geklommen, langs het zonnescherm, door het raam van Billy, sluipend over de overloop, naar de zolder waar zijn vriendinnetje slaapt.

Muis gaat naast haar zitten en geeft Fae een zachte kus op haar wang.

'Alsjeblieft,' zegt hij en legt een pakje op haar kussen.

Het zijn twee cd's.

'Hé mooi,' zegt Fae met een zachte slaapstem. 'Maar hoe kom je eraan? Ik bedoel...'

'Gejat!' roept Muis triomfantelijk.

Fae zegt niets, ze kijkt naar de cd's. Moet ze ze houden, of terugbrengen?

'Dat ene nummer ken je toch wel?' vraagt Muis, die ondertussen zachtjes haar rug kietelt.

Fae knikt. 'Ja. "Killing me softly." '

'Mooi hè.'

'Ja, heel mooi.'

'Fae! Moet je zien.'

Fae stopt naast Muis om te kijken wat hij haar wil laten zien. In zijn hand houdt hij een zakje met blaadjes.

'Wiet?'

Muis knikt.

Snel kijkt Fae om zich heen. Er fietsen veel te veel kinderen langs hen om zomaar naar dat zakje wiet te blijven staren.

'Hoe kom je daaraan?' fluistert ze.

'Van iemand gekregen.'

'Heb je al gerookt?' vraagt Fae.

Weer knikt Muis.

'Billy ook?'

Muis schudt zijn hoofd.

'Wil jij?' vraagt hij.

'Dan word ik knetterstoned man.'

'Da's lachen.'

Zorgvuldig bergt hij het zakje weer op in de binnenzak van zijn jas. Fae en Muis fietsen samen een stukje op, naar school.

'Zeg nou man, hoe kom je eraan. Dat is toch hartstikke duur?'

Haar vriend trekt zijn schouders op en het enige wat hij erover loslaat is dat hij het gekregen heeft.

Als Muis 's middags thuiskomt, voelt hij zich supergoed. Nog nooit heeft hij zo verschrikkelijk gelachen met een jongen van school. Hoe die jongen heet, weet hij niet, hij is lang en zit in de vierde klas. Hij bleef in de fietsenstalling hangen, net als Muis.

'Wat heb jij rode ogen,' zegt zijn moeder als ze met kleine Parel op haar arm binnenkomt. 'Hoe komt dat?'

'Gezwommen!'

'Had je dan een zwembroek bij je?'

'Ja!'

Twee dagen later komt Muis weer met rode ogen binnen.

'Heb je alweer gezwommen?' vraagt zijn moeder. 'Maar je had toch geen zwembroek bij je.'

'Die heb ik geleend van Billy.'

Moenja schiet in de lach. 'Man, die pas je toch nooit.'

'Van Kick.'

Ze kijkt hem aan en schudt haar hoofd. 'Muis' zegt ze. 'Ik weet het niet, maar ik vind dat je raar doet, de laatste tijd.'

Een paar dagen later staat Muis voor de deur van zijn vriend. Als Fae opendoet, zakt hij door zijn benen. Verschrikt knielt Fae bij hem neer en probeert hem overeind te helpen.

'Is Billy thuis,' kreunt Muis.

'Nee, wat is er?' Fae trekt hem aan een arm omhoog en helpt hem naar binnen. Zodra Muis een stap over de drempel heeft gezet, laat hij zich languit op de vloer vallen.

'O,' kreunt hij. 'Ik ga dood.'

'Doe niet zo idioot, wat is er?' vraagt Fae, die bij hem neerknielt en hem probeert aan te kijken.

Muis draait zich op zijn zij en kronkelt in elkaar.

'Wat is er?' vraagt Fae nog een keer.

'Ik ben zo ziek, ik heb te veel gerookt.'

'Wat heb je gerookt?'

'Wiet.'

'Lul! Wat moet ik nu doen?'

'Laat me slapen, ik wil naar bed.'

Fae staat op en loopt heen en weer. Straks komt haar moeder thuis en wat moet ze dan zeggen? Dat Muis ziek is, stoned? Moet ze liegen? Maar ze kan niet liegen. Echt niet, dan wordt ze rood en gaat ze stotteren.

'Vooruit!' roept ze. 'Ga weg. Sta op. O Muis, straks ga je echt dood. Straks komt mijn moeder.'

Muis kreunt nog harder. 'Ik moet naar boven. Ik moet slapen.'

Ineens herinnert Fae zich iets wat ze ergens heeft gehoord: als je stoned ben, moet je eten.

Ze probeert hem een boterham met hagelslag te voeren, maar dat lukt nauwelijks. Muis blijft in de gang op de vloer liggen.

'O!' kermt hij. 'Nu ben ik nog zieker. Ik moet kotsen, maar er komt niets.'

'Steek je vinger in je keel!' roept Fae. Ze trekt Muis overeind en sleurt hem mee naar de wc.

'Kots!' roept ze als haar lijkbleke vriend boven de wc-pot hangt.

Maar wat Muis ook probeert met zijn zieke lijf, overgeven kan hij niet. Hij zakt weer in elkaar en smeekt Fae boven op een bed te mogen uitzieken.

Haar moeder kan ieder moment thuiskomen. Fae kan toch niet aan haar vertellen dat Muis stoned is? Als haar ouders erachter komen dat haar vriend wiet rookt, is het huis te klein.

En het huis is al zo klein, sinds haar vader ontslagen is. Hij is op zoek naar ander werk, maar hij heeft last van hartkloppingen en snurkt zo ongelooflijk dat haar moeder hem zojuist heeft verteld dat hij op zolder moet slapen of een ander huis moet gaan zoeken.

De kleine Muis ligt in het bed van Billy rustig te dutten. Fae gaat op de rand zitten, pakt zijn arm en kietelt haar vriend net zo lang totdat hij langzaam zijn ogen opent. Twee bruine pretogen. Op die ogen, die je zo blij, zo ontwapenend, zo vol overgave aankijken, kan je niet boos blijven.

Fae kruipt naast hem in bed, trekt haar T-shirt omhoog en zonder verder iets te zeggen, kietelt Muis haar rug.

'Muis,' zegt ze na een tijdje. 'Zal je het nooit meer doen?'

'Wat niet.'

'Blowen.'

Muis lacht. 'Dat weet ik niet,' antwoordt hij. 'Ik vind het vet cool.'

'Vet cool?'

'Ja.'

Het blijft een tijdje stil.

'Muis,' zegt Fae dan. 'We hebben geluk.'

'Waarom?'

'Mijn moeder is nog steeds niet thuis.'

Billy is zestien jaar geworden en heeft van het geld dat hij verdiend heeft met zijn krantenwijk een scooter gekocht.

Nu ligt de complete wereld aan zijn voeten. En aan die van Muis. Hij mag nog geen scooter rijden van zijn moeder. En als hij achterop gaat bij zijn vriend, dan moet hij een helm dragen. Anders is het afgelopen met de vriendschap tussen die twee. En nu meent ze het echt. Dan is het afgelopen, uit.

De jongens scheuren overal naartoe, naar Soest, Amersfoort en via Spakenburg weer terug. Het is prachtig weer, in hun dunne T-shirtjes komen de jongens als helden de dorpen in gescheurd, stoppen waar de meisjes zijn en roken er een sigaretje.

Maar het allermooiste moet nog komen: op vakantie naar een echte jongerencamping, waar er gedronken en geblowd wordt dat het een lieve lust is. Dat laatste hebben de jongens alleen nog niet aan hun ouders verteld.

Samen door het land, samen op de scooter, dit wordt de mooiste zomer van hun leven.

Het is alleen jammer dat Muis nog geen zestien is, hij is zelfs nog geen vijftien. Pas aan het einde van de vakantie is hij jarig, dat duurt nog twee maanden. En dan nog, wat heb je eraan als je vijftien wordt?

Het enige wat hij kan doen is zijn ID-kaart vervalsen, zodat hij toch kan scooter rijden.

Maar voorlopig moet hij achterop. Muis houdt zijn vriend goed vast als die zonder vaart te minderen over de boomwortels rijdt die onder het fietspad langs de Eem liggen.

Als ze bij het viaduct over de rivier komen, zien ze dat er een jongen van de brug in het water springt. Direct rijdt Billy zijn scooter de berm in en stapt af.

Op het fietspad staan Rafael met zijn kaalgeschoren kop en nog een paar vrienden van Patrique.

Om de beurt klimt een van hen over de reling van de brug, gaat op een smal richeltje staan, telt tot tien, twijfelt nog even of hij gaat of niet, en springt uiteindelijk naar beneden.

'Cool!' roept Muis. 'Laat mij dat ook doen!'

'Als je maar uitkijkt,' zegt Rafael, die achter de leuning staat in een nog droge zwembroek. 'Je moet goed kijken waar je springt. Er ligt veel troep in de Eem, als je niet goed springt, ben je de Sjaak.'

'Echt niet.' Muis kijkt Rafael uitdagend aan. 'Hé joh, geef mij even je zwembroek, jij gaat toch nog niet.'

Muis klimt over de reling, in zijn veel te grote zwembroek. Hij gaat op de richel staan, laat meteen de reling los en duikt.

Hij duikt!

Die gek!

Niet eerst voorzichtig aftellen. Niet duizend keer eerst met je voeten naar beneden springen.

Zonder ooit een keer van zo'n hoge brug te zijn gegaan, duikt hij meteen recht naar beneden.

Even is hij in het donkere water verdwenen, dan komt zijn kop weer boven.

'Shit!' roept hij. 'Shit! De zwembroek!'

De zes jongens op de brug liggen kromgevouwen van het lachen.

'Shit man!' roept Muis vanuit het water. 'Vet shit. Ik drijf hier in mijn nakie!'

Billy komt niet meer bij. 'Kom!' roept hij. 'Ik rijd weg. Wil je nog meerijden? In je blote reet?'

Met een paar slagen is Muis bij de oever. Hij kijkt goed rond en trekt zich uit het water omhoog. Poedelnaakt staat hij op de kant te zwaaien naar de jongens boven op de brug, en danst hij in zijn blote kont door het weiland.

Na een poosje kleedt hij zich aan en klimt naar boven.

'Idioot,' zegt Rafael. 'En mijn zwembroek?'

Muis trekt zijn schouders op. 'Joh, je durfde toch niet.'

'Het gebeurt niet.' Moenja staat midden in de kamer met haar handen in haar zij. Muis slaat zijn armen om haar heen en kijkt haar met zijn bruine ogen smekend aan.

'Nee, nee en nog eens nee. Je bent nog geen zestien, nog niet eens vijftien, ik wil het niet hebben.'

Muis weet er wel raad op. Hij gaat naar de moeder van Trúc, bietst een zak Vietnamese loempia's en gaat ermee naar zijn eigen moeder. Dat is de beste omkooptruc.

Maar deze keer niet. Hoe Muis ook zeurt en smeekt en dwingt en tart en vraagt en bidt om met Billy mee te mogen naar de camping in Zeeland, zijn moeder blijft bij haar besluit. Het is veel te gevaarlijk om die twee jongens samen op pad te sturen, of met meer jongens met scooters. Muis zal ook willen rijden, gaat natuurlijk drinken en met een slok op een scooter besturen, hij zal..., hij zal van alles.

Daarom blijft Muis thuis, totdat hij zestien is.

'Muis gaat ook mee,' zegt Billy. Zijn vader en moeder zitten aan de tafel de krant te lezen, en hopelijk dringt het niet tot ze door wat hij zegt.

Maar zijn vader kijkt meteen op van de krant.

'Muis? Die kleine rat? Hoe dan?'

'Achterop.'

'Achterop bij wie?'

'Bij mij.'

'Dat kan niet, jongen. Het is 250 kilometer, zo'n eind kan je die jongen niet achterop nemen. En wat denk je van je bagage?'

Billy trekt zijn schouders op. 'Ik heb niet veel nodig.'

'Man, een tent, een matje, slaapzak, kookspullen.'

'Die hebben we niet nodig.'

'Wat niet?' Billy's vader vouwt de krant dicht en gaat er eens goed voor zitten.

'Kookspullen.'

'Hoe wil je dan koken?'

'Niet.'

'Geen sprake van.'

'We eten wel patat of zo. En Muis kan toch ook met de bus komen?'

'Billy,' zegt Pamela rustig. 'Je kan niet een week lang patat eten. En dat Muis niet mee mag, komt omdat hij nog erg jong is. En je moet ook inzien dat als hij erbij is, er altijd iets gebeurt.'

Billy trekt zijn schouders maar weer eens op.

'En trouwens, dat hij zo jat, daar ben ik het ook helemaal niet mee eens. Die cd's van Fae, bijvoorbeeld. Die jongen heeft een verkeerde invloed op je, Billy.'

'Alsof hij een crimineel is,' mokt Billy.

'Nou, als hij zo doorgaat zou dat best wel eens kunnen. Die jongen lijkt weinig moreel besef te hebben.'

Billy's neusvleugels beginnen te trillen maar hij houdt zich in.

'Het is niet alleen dat jatten,' gaat zijn vader door. 'Die jongen heeft altijd wat. Hij is typisch een geval van wél in zeven sloten tegelijk lopen. Laatst toch ook weer, toen hij van dat dakje af sprong en met zijn been achter een roestige spijker bleef haken, en ik met het hele huis vol visite naar de eerste hulp ben geweest? Voor het eerst dat er iemand van mijn werk op bezoek was, sinds ik ontslagen ben. Komen Fae en een bloedende Muis binnen met een roestige spijker in zijn knieholte. Het bloed drupte op de parketvloer. Je kan het nog zien. Kijk daar.'

Billy's vader wijst naar de drempel tussen keuken en woonkamer en praat ondertussen verder.

'Probeer ik daar een fatsoenlijke man te zijn, en mijn kinderen fatsoenlijk op te voeden, schaatst daar steeds zo'n klein etterig onderkruipseltje tussendoor die voortdurend de hele boel in de war schopt. Heeft hij ooit die knoppen van de piano vergoed?'

'Ho ho,' sust Billy's moeder. 'Je moet niet doorslaan. Het is gewoon een ouderwets ondeugend kind. Maar ook een heerlijk kind. En trouwens, hoe vaak had jij vroeger de politie aan de deur? Dat heeft je moeder me wel eens verteld.'

Maar dat hoort Billy allang niet meer. Hij is het huis uit gelopen, op weg naar Muis.

Een onbezorgde dag

Het is zo warm dat Muis niet van plan is om lang binnen te blijven, maar snel afkoeling zal gaan zoeken ergens in het water. Voorlopig rust hij nog even uit op de bank voor de tv. Hij eet een stroopwafel en als die op is, neemt hij er nog een. Het is een goed ontbijt. Na de tweede neemt hij er nog een, en nog een en nog een.

Muis is al uren wakker, vanochtend heeft hij vier krantenwijken gelopen. Twee van hemzelf en twee van Billy, die gistermorgen vroeg vertrokken is op zijn scooter, samen met twee jongens uit de straat.

Boven in de badkamer hoort Muis zijn moeder rommelen, zijn broer slaapt nog en Parel is al bij de buurvrouw. Toen hij vanochtend thuiskwam, hoorde hij haar kraaien in bed. Hij was direct naar haar toe gegaan, had haar uit het ledikantje getild, haar verschoond en een fles pap gevoerd. Parel kan allang de fles zelf vasthouden, maar als haar grote broer naast haar ligt, laat ze zich lekker door hem voeren. Ondertussen kietelde ze met haar kleine handje over zijn arm.

Even later was de buurvrouw via de achterdeur naar binnen gekomen, zij zou vandaag op Parel passen zodat Moenja en Joop er een dagje met zijn tweeën op uit konden trekken. De buurvrouw had een pak stroopwafels meegenomen en dat is nu al bijna leeg.

Moenja komt de kamer in. Terwijl ze haar zonnebril zoekt, stelt ze voortdurend vragen, zonder op antwoorden te wachten: 'Wat ga je doen vandaag? Zal je voorzichtig zijn? Wat gaat Patrique doen? Ik ben om een uur of zes thuis, ben je dan ook thuis? Zullen we daarna gezellig gaan barbecueën? Ga je zwemmen? Ik kwam Fae nog tegen, ze vroeg of je mee ging zwemmen. Hoe komen die stroopwafels daar?'

'Mam, mag ik er een?' vraagt Muis poeslief.

'Ja hoor,' antwoordt zijn moeder. 'Hoe komen die hier?'

'Van de buurvrouw.'

Op straat wordt getoeterd.

Moenja loopt naar de gang en komt met de strandtas de kamer weer in. Ze kust Muis gedag. 'Zal je voorzichtig doen?' vraagt ze en ze is de kamer alweer uit.

'Ja-ah.'

Als Muis net de volgende koek in zijn mond wil stoppen, staat Moenja alweer in de kamer, zonder zich iets aan te trekken van het ongeduldige getoeter van Joop.

'Die stroopwafels?' vraagt ze. 'Wanneer kwam de buurvrouw ermee? En hoe vol was het pak?'

'Ja-ha, ga maar gauw.'

Ze blijft staan en kijkt haar zoon aan. 'Dag lieverd. Geef je een kus aan Patrique van mij?'

Muis knikt.

'Me reet.'

Moenja hoort het net niet meer. Muis hoort de voordeur dichtslaan. Hij blijft nog even zitten, en als de stroopwafels op zijn, zet hij het lege zakje in de kast en vertrekt.

Het is half twaalf als hij weer thuiskomt uit het dorp en hij Patrique met gesloten ogen op de bank ziet liggen. De luxaflex voor de ramen zijn dichtgedraaid tegen de zon, zodat er binnen een aangename lauwe lucht hangt.

'Hé,' zegt Muis. 'Wat is het hier donker man, het lijkt wel nacht. Gaat het wel goed met je? Ga je mee? We gaan naar de brug.'

'Ik ga naar Liselot.'

'Ah man, ga mee.'

Patrique schudt zijn hoofd.

'Laat die griet zitten, joh. Ga lekker mee.'

Weer schudt Patrique zijn hoofd. 'Om twaalf uur ga ik naar haar toe.'

Plotseling neemt Muis een kleine aanloop en duikt boven op zijn broer. 'Hé!' roept hij, terwijl hij hem vriendschappelijk in zijn buik stompt. 'Hé broertje, ga je het doen? Ga je het doen vandaag?'

'Wat?'

'Seks!' Muis kijkt hem begerig aan. 'Ja? Ga je het doen?'

Patrique glimlacht en trekt zijn schouders op. 'Ik weet het niet. Misschien.'

'Wo!' Muis maakt een rondedansje in de kamer. 'Mijn broer gaat het doen, hij gaat het doen. Welkom bij de club van grote mannen!'

'Heb jij het dan al gedaan?'

'Ha. Dat zou je wel willen weten hè. Maar dat zeg ik niet.'

'Ah joh.'

'Nee. Vanavond. Als jij terugkomt. Trouwens, we moeten om zes uur thuis zijn van mam. We gaan barbecueën. O ja. Je krijgt nog een zoen.'

Muis neemt weer een snoekduik en landt boven op zijn broer. Hij geeft hem een dikke smak op zijn wang, maar wordt direct teruggeduwd.

'Hé mietje. Laat me met rust.' Patrique staat op en wil

de kamer uit lopen, maar wordt tegengehouden door zijn broer.

'Vanavond,' zegt die. 'Vanavond wil ik het weten.'

Als Patrique weg is, gaat de telefoon en neemt Muis op.

'Vriend!' gilt een stem door het apparaat.

Muis hoort het direct: het is Billy, die over het geluid van keiharde muziek probeert uit te komen.

'Het is hier te gek! Jezus man, ik ben stoned! Je wil het niet weten! Nu al! Het is hier te gek! God man, ik ben net wakker, ik heb verdomme de hele tent rondgepist. Ik was zo dronken. Weet je wat ik riep? Ik riep: "Mama! Mamaatje kom me halen!" Toen heb ik de hele tent ondergezeken, zelfs mijn twee maten. Maar er is hier een heel aardig vrouwtje van een jaar of twintig. Ze zorgt voor me alsof het mijn eigen moeder is. Jezus man, ik ben stoned! Iedereen is hier stoned. Je moet door de wietdampen heen je tent zien te vinden. Zulke lieve mensen hier, god man. Wat een feest. Ik heb alleen geen geld meer, en mijn wiet is nu al op. Ben je er nog?'

'Ja.'

'Jammer dat je er niet bent. Je had het hartstikke vet gevonden. Nou, ik moet ophangen, mijn beltegoed is op en ik heb geen geld meer. Nou doei!'

'Doei.'

Even is het stil. Dan zegt Billy een stuk zachter: 'Hé Muisie, ik mis je.'

'Ik jou ook.'

'Doei.'

'Doei.'

'Hé Muis. Ik hou van je.'

'Ik ook van jou.'

'Doei.'

Muis legt de telefoon neer. Jammer dat hij niet mee is, maar Muis heeft geen zin zich er een minuut ellendig om te voelen. Billy is weg en hij is hier. Hij gaat naar boven, smeert gel in zijn haren en bekijkt zichzelf in de spiegel. Hij ziet er vandaag weer goed uit, haren goed in model, spierballen goed zichtbaar en een nieuwe zonnebril.

Muis grist een zwembroek en handdoek uit de kast en propt ze in een tasje.

'Hoi,' zegt hij tegen zijn opa, die in het fotolijstje op een tafeltje naast de kast staat. Opa, met zijn bruine kop en witte haren. De kleine opa uit een ver land.

Weet je wat, hij neemt hem mee. Muis pakt het fotolijstje en stopt hem naast de handdoek in het linnen tasje. Nog een keer werpt hij een blik op zichzelf in de spiegel, hij ziet er nog steeds goed uit. Dan gaat hij zijn kamer uit en springt de trap af, een heerlijke nieuwe dag tegemoet.

Het is heerlijk buiten, niet te benauwd, niet te veel wind, geen dreigende onweersbuien. Precies goed. Met de tas bungelend aan zijn stuur sjeest Muis naar Fae.

Zij ligt op een lange plastic tuinstoel met haar hoofd naar de zon gekeerd.

Zodra Muis in de tuin staat, springt Kick voor zijn neus. 'Mag ik mee?' vraagt hij.

'Nee!' gilt Kicks moeder vanuit het huis. 'Hij mag niet mee!'

'Ah toe?' Faes broertje springt in Muis' armen en omklemt hem als een aapje. 'Mag ik mee?'

'Nee, nee, en nog eens nee.' Pamela komt het huis uit gelopen. Met een hand boven haar ogen, tegen de zon, kijkt ze naar Muis. 'Hij mag echt niet mee, ik vind hem veel te klein voor die brug. Ik vind het trouwens helemaal niets dat jullie naar die brug gaan.' Ze zucht. 'Maar ja, wat kan ik ertegen doen? Verbieden?'

Ze weet dat ze niet een antwoord hoeft te verwachten en loopt weer naar binnen.

Muis gaat naast Fae in het gras zitten.

'Faetje, schatje,' zegt hij. 'Ga je mee? Gaan we naar de brug en ga je me dan eindelijk eens kussen?'

'Is goed,' antwoordt Fae zonder haar ogen te openen.

Muis wacht, misschien krijgt hij nu al een kus. Maar dat zit er niet in.

Hij haalt een foto uit zijn tas en laat hem Fae zien. 'Kijk,' zegt hij. 'Als ik doodga, wil ik vlak bij hem liggen.'

'Doe niet zo debiel.'

Muis stopt de foto weer in zijn tas. 'Kom!' roept hij. 'We gaan!'

Loom komt Fae overeind, maar valt weer terug in haar stoel als ze ziet dat haar moeder met ijsjes naar buiten komt.

Rustig liggend in de zon, likken ze allemaal van hun ijsje, zelfs Muis is opvallend stil.

'Heb jij al wat van Billy gehoord?' vraagt Pam.

Muis knikt. 'Het gaat heel goed.'

Even later staan ze op de brug: Fae, Muis, Jason, Gonneke en Dammetje.

Gonneke staat naast Jason met zijn stoere boksspierballen.

'Pas je op?' vraagt Gonneke aan hem.

Hij kijkt naar haar en glimlacht. Nog steeds heeft hij geen neptand op de plek waar er laatst een tand uit geslagen is. Het geeft hem een sexy uitstraling. Gonneke rilt ervan.

Hij lacht. Hij lacht naar haar! Zou hij verliefd zijn? Op haar?

Dan laat hij zich naar beneden vallen, met een idiote buiteling, zonder iets te zeggen.

Is hij nou verliefd of niet?

Het water spettert als Jason in het water valt. Het duurt even, net iets te lang, voordat hij weer bovenkomt. Opgelucht haalt Gonneke adem en zwaait naar hem.

Wat zou het mooi zijn, vanmiddag in de warme zon en vanavond in de zwoele avondschemering, in zijn armen te liggen, zich omhelsd te weten door twee stevige boksarmen en dan te kussen.

'Nu jij, Fae.' Muis staat naast haar, in zijn veel te lange zwembroek. Zijn dunne bruine lijf glimt in de zon.

'Nee!' giechelt Fae. 'Ik ga niet springen. Echt niet.'

'Waarom niet?'

'Dat doet zeer aan je tieten.'

Muis schiet in de lach. 'Je tieten!' gilt hij, terwijl hij over de balustrade klimt en zich met een snoekduik naar beneden laat vallen. 'Die heb je niet eens!' roept hij, hangend tussen hemel en aarde.

Al snel komt zijn kop weer uit het water tevoorschijn. Uitsloverig, als een hondje, zwemt hij naar de kant en klautert erop. Net op tijd, want onder de brug komt een auto aangevaren.

'Zie je wel!' roept Fae. 'Je moet uitkijken. Straks spring je nog boven op een boot!'

Langzaam komt de auto, die op de voorplecht van een volgeladen vrachtschip staat, onder de brug door gevaren.

'Schippertje!' roept Muis tegen de man die in het roefje aan het stuurwiel staat.

'Wat heb je bij je! Een bak stront?'

De schipper steekt zijn hand op.

'Vet man, wat ligt die bak diep. Hoe diep is die lullige Eem hier eigenlijk?'

'Vijf en een halve meter.'

Dat antwoord komt niet van de schipper, die alweer met zijn schip voorbij gegleden is, maar van een visser aan de kant van de rivier. Hij schuift net zijn hengel in elkaar.

'Mij te veel deining hier,' zegt hij, klapt zijn krukje in, pakt zijn spullen bij elkaar en slentert weg.

Muis loopt door het weiland naar de voet van het talud en klimt omhoog.

Ondertussen is Jason alweer in het water gesprongen en

staat Gonneke klaar om...

Om wat eigenlijk. Zal ze gaan springen? Zal ze Jason achterna duiken, de diepte in?

O, ze zou wel willen. Maar ze doet het niet.

Gonneke wacht totdat haar Jason weer naast haar staat en ze kan gillen van angst en plezier.

Plotseling duikt Muis naar beneden. Net stond hij nog naast Fae en nu is hij weg.

'Hé debiel!' roept Fae hem achterna. 'Doe toch eens een keer normaal!' Ze houdt de reling goed vast en hangt eroverheen. Zodra Muis met zijn prethoofd boven water komt, zwaait ze naar hem. 'Doe je normaal?!'

Vanuit het water stuurt Muis kushandjes omhoog. 'Tuurlijk!' roept hij.

Het wordt steeds drukker op de brug. Er komen meer mensen die van de brug willen duiken. Zoveel passen er niet tegelijk op, dus gaan Gonneke en Fae naar beneden, naar hun spullen die in het weiland liggen. Ze spreiden hun handdoek uit op het gras. Zodra Fae ligt, laat Muis zich op haar rug vallen.

'Muis!' gilt Fae. 'Je bent nat!'

Had ze dat maar niet gezegd, Muis legt zijn armen om haar hoofd en drukt zich nog meer tegen Fae aan.

'Hoepel op, Muis. Wil je cola?'

Muis rolt zich van Fae af en neemt een snoekduik boven op Dammetje.

'Muis,' zegt die. 'Ga weg.'

'Och Dammetje, mag ik niet bij je liggen? En ik hou zoveel van je. Wat is er? Lig je na te denken? Ben je aan het solodammen?'

Fae heeft de colafles gepakt, maakt hem open en neemt een slok.

'Hier, Muis,' zegt ze dan. 'En hou op met Dammetje pesten.'

Gonneke ligt stil naast Jason. Hij zegt geen woord. Zou hij slapen?

Muis drinkt de halve colafles leeg, kijkt om zich heen wat hij nu kan gaan doen, ziet de koeien achter het hek en rent ernaartoe. Met idiote sprongen probeert hij de koeien aan het schrikken te maken, zodat ze luid loeiend, met volle uiers weg zullen rennen.

Dammetje heeft een boek gepakt en ligt te lezen.

Terwijl Gonneke zinderend van verlangen hoopt op Jasons arm over haar rug, past Fae haar sandalen van touw.

'Kan je daar echt op lopen?' vraagt ze.

Gonneke antwoordt niet. Jason schuift ineens een millimeter naar haar toe, waardoor ze nauwelijks meer kan ademhalen.

Fae stopt een voet in de gevlochten schoen. Ze kruist de banden een paar keer om haar enkels, legt er een knoop in en trekt de andere schoen aan. Als ook deze is vastgemaakt, doet Fae voorzichtige pogingen om als een prinses, of een model te lopen. Het lijkt meer op een gehandicapte die op hoge hakken door het gras wankelt. Fae houdt haar ellebogen in de zij en steekt haar onderarmen uit of het vleugeltjes zijn. Met kleine pasjes loopt ze naar Muis toe. 'Hai!' zegt ze.

'Hai,' antwoordt Muis. Hij is nu echt een kop kleiner dan Fae. Muis slaat zijn armen om haar middel, trekt Fae tegen zich aan en verbergt zijn hoofd in het kuiltje van haar hals. Bijna wil ze hem uitmaken voor debiel, maar ze doet het niet. Ze legt haar armen om zijn nek en even houden ze elkaar stevig vast.

Het is weer tijd om naar de brug te gaan en afkoeling te zoeken in het water. Jason, die teder een hand op de rug van Gonneke had gelegd en nog dichter tegen haar aan was gaan liggen, springt plotseling op, trekt zijn vriend Dammetje overeind en rent met Muis samen het talud op. Gonneke laat hij liggen. Ze kijkt hem na. Waarschijnlijk zal ze jongens nooit begrijpen.

'Mag ik ze nog even aanhouden? Ik ga toch niet springen,' zegt Fae.

Het zal Gonneke een biet wezen of Fae op haar gammele sandalen loopt. Zaak is dat ze snel achter Jason aan gaat. Maar ook weer niet te snel.

O! Wat is het heerlijk om verliefd te zijn! Misschien moet ze het zo laten en nooit iets aan hem laten merken. Dan kan ze eeuwig naast hem liggen in het gras en kan alles niet als een zeepbel uit elkaar spatten, als hij niet verliefd blijkt te zijn.

Verliefd zijn op de hoop, dat is eigenlijk het mooiste.

Ze staat op en loopt achter Fae aan, die op de schoenen door het ongelijke gras naar boven wankelt.

Ze staan weer op de brug, Gonneke tussen Jason en Dammetje in, aan de andere kant Fae op haar hoge schoenen. Schuin voor haar staat Muis al op het richeltje, klaar om te duiken.

Maar eerst komt er een bootje aan. Een jongen met een pet half over zijn ogen, zit onderuitgezakt en houdt zijn hand losjes op de hendel van de buitenboordmotor, die hij als roer gebruikt. Genietend van het zonnetje komt de jongen langzaam dichterbij gevaren.

Wie er begint is niet duidelijk. Maar dat het eigenlijk heel achterlijk en kinderachtig is, beseft Fae maar al te goed. Toch doet ze mee met het spugen naar het jochie in de boot. Jason maakt in zijn mond een grote rochel, leunt naar achteren om vervolgens met zoveel mogelijk kracht over de reling naar beneden te spugen.

Muis staat op de smalle richel. Achter zich houdt hij de reling stevig vast. Ook hij spuwt een dikke slijmklodder naar beneden.

De jongen geeft meer gas en duikt weg om het vieze spuug te ontwijken.

Fae schaamt zich, maar doet toch mee. Totdat de jongen onder de brug vaart en niet meer te zien is. Ze kijkt hem zo lang mogelijk na, wil zich eigenlijk omdraaien en de snelweg oversteken om aan de andere kant 'sorry' te roepen.

Maar ze doet het niet, want er gebeurt ineens iets vlak voor haar.

Muis, die met zijn gezicht naar de rivier stond, draait zich om naar Fae. Hij laat één hand los, slingert zijn rechtervoet over de linker, en stapt mis.

Zijn voet glijdt weg.

Muis wil de reling grijpen.

Mis.

Hij grijpt nog een keer.

Weer mis.

Zijn andere hand glijdt weg.

Muis staat niet meer.

Hij is los.

Precies voor Fae.

Gewoon even los.

Het gaat heel snel.

Hij kan niets meer vastpakken.

Fae maait over de reling naar beneden, ze rekt zich uit, zo ver als ze kan, maar ze kan niet meer bij zijn hand. Hij kijkt haar aan, terwijl hij razendsnel naar beneden valt en Fae nog verder vooroverbuigt. Hij blijft haar aankijken. Ogen waaruit één wanhopige vraag spreekt: Fae, jij redt me toch?

Hij valt dieper.

Donkere ogen vol onvoorwaardelijk vertrouwen in Fae. Een blik die ze nog nooit heeft gezien.

Het is stil. Doodstil.

Het gaat zo snel.

Nog dieper.

Vlak langs de betonnen pijler waar de brug op rust en die onder water breder is dan daarboven.

Met een onhoorbare plons valt hij in het water.

Er komen luchtbellen, tien, vijftien.

Dan is het water weer rimpelloos, stil en zwart.

De tijd lijkt even stil te staan. Iedereen staart naar beneden, naar het donkere bewegingsloze water. Muis komt niet naar boven.

Dan klinkt er een oorverdovende kreet.

'Muis!' gilt Fae.

Ze rennen naar beneden. Gonneke, Jason, Fae op haar hakken. Ze wankelt.

Dammetje blijft staan. In trance van ontzetting.

'Ik doe je schoenen wel uit,' zegt Fae tegen Gonneke, als ze beneden staat en die ellendige dingen van haar benen rukt. Wat een idiote zin, denkt ze ondertussen. Waarom zeg ik dit? Die rotdingen moeten uit. Ik ben gek dat ik dit doe.

Het duurt korter dan een seconde, maar het lijkt voor haar wel een uur. De schoenen zijn uit, ze rent naar het water, springt erin en zwemt naar de pijler toe.

Net als Gonneke.

En Jason.

De anderen die op het grasveld zaten ook.

Allemaal om de pijler. Precies waar hij in het water is gevallen. Fae duikt. Dieper, dieper. Het water is zwart. Haar oren doen pijn. Hier moet hij ergens zijn.

Kom op, Muis, denkt ze. Hou op met die geintjes.

Dat denkt ze. Maar ze voelt dat het anders is. Het is erg. Heel erg.

Straks trekt hij aan mijn voet, denkt ze en hoort hem al lachen. Maar ze weet dat het ernstig is. Heel ernstig.

Hij is niet op de plek bij de pijler.

Ze duiken er in een kring omheen. Zoeken. Het water is zwart, zo verschrikkelijk zwart.

Waar kan hij zijn? Fae gaat door. Haar oren voelt ze al niet meer. Ze zwemt, duikt naar beneden, maait met haar handen door het water.

Ik moet hem vinden. Ik moet hem vinden, gaat het door haar hoofd. Voor Patrique, mijn beste vriend. Voor Billy, mijn broer.

Ze komt omhoog, haalt adem, zwemt een slag en duikt weer. Ze kan niet meer, ze hijgt, voelt dat ze geen adem meer krijgt. Maar ze moet. Voor de broer van haar beste vriend en voor de beste vriend van haar broer.

Ze moet hem vinden. Ze moet hem vinden. Muis, waar ben je. Waar ben je? Muis? Ze komt weer omhoog. Ze kan niet meer. Maar het moet. Snel hapt ze naar adem en duikt weer naar beneden. Muis? Muis?

Ze huilt bijna van vermoeidheid. Ze krijgt geen adem meer, moet toch doorgaan, ze stikt bijna, krijgt het koud. Het kan nog best even. Ophouden kan ze pas als ze hem heeft gevonden. Even komt ze boven, hapt naar lucht en duikt weer naar beneden. Dan wordt ze stevig vastgepakt.

Muis!

Nee.

Een man.

'Je moet eruit,' zegt hij.

Ze kijkt hem aan. Een dikke kop heeft hij. Met haar voeten zwemt ze van hem vandaan, terwijl hij haar vast blijft houden.

'Waarom?' zegt ze en wil weer naar beneden duiken.

'Daarom,' zegt de dikkop. 'Het heeft geen zin meer.'

Woedend rukt ze zich los uit zijn greep. 'Idioot!' roept ze met zachte stem. Harder gaat niet, ze is uitgeput. Zwemt weg. Waar naartoe? Waar is ze? Om haar heen water, weilanden, één woonark. Waar is ze? Ze maait met haar armen door het water, draait rondjes om haar as. Waar is ze? Wat is er gebeurd? Muis moet terugkomen.

Weer wordt ze resoluut vastgepakt, en op haar rug gedraaid. De man neemt haar mee, zwemmend op zijn rug. Ze wil protesteren, maar ze kan niet, uitgeput laat ze zich door hem meevoeren, op de cadans van de schokkende bewegingen die je bij een reddingsslag maakt.

Ze wordt op de kant getrokken. Er zijn mensen, er staat een ambulance. Zelfs de traumahelikopter is in het weiland ernaast geland.

Het zal wel erg zijn, denkt ze. Dat er een traumahelikopter in het dorp staat. Het is net een film.

'We moeten Moenja bellen,' hoort ze Gonneke zeggen, die vlak bij haar staat te bibberen in haar bikini.

In één klap is Fae weer helemaal bij haar positieven. 'Hoe kom je erbij!' roept ze. 'Er hoeft hier niemand gebeld te worden. We gaan hem vinden! Muis!'

Ze draait zich om en wil het water weer inspringen. Maar ze wordt tegengehouden door een politieman. 'Stop. Het is einde verhaal,' zegt hij. 'Hij is toch al dood.'

Fae rukt zich los en draait zich naar de man toe. Haar vuisten beuken in zijn buik, slaan waar ze slaan kunnen. 'Dat kan je niet zeggen!' gilt ze. 'Het is mijn vriend!'

Ze slaat door, uren, voor haar gevoel. Maar direct wordt ze door een vrouwelijke agent tegengehouden en meegenomen. Ze probeert zich los te rukken, wil weer het water in springen, maar de vrouw slaat twee handen om haar heen. 'Kom,' fluistert ze in haar oor. 'Kom meisje, je krijgt een deken.'

Verbaasd blijft Fae staan. Wat moet ze met een deken, ze ligt toch niet in bed?

Ze wordt door de agente aan haar hand meegetrokken. Samen lopen ze door het weiland naar het talud toe. Fae ziet mannen in duikerspakken, mannen in gele vesten, mensen die toekijken. Ergens op de grond ligt de broek van Muis, zijn handdoek, zijn tasje. Ze raapt ze op, klemt de spullen tegen zich aan.

De agent neemt haar mee, ze lopen naar boven.

Plotseling staat Fae stil. 'Hoe lang kan iemand onder water blijven voordat ie dood is?' vraagt ze.

'Na tien minuten ben je hersendood en na twintig minuten ben je helemaal dood.'

Mooi, denkt Fae. Hij kan nog leven. Nog geen minuut geleden is hij gevallen.

Boven op de brug wacht de politiebus. Maar er is veel meer drukte. Er staan honderden mensen. Allemaal kijken ze naar beneden. Fae wordt misselijk.

Tussen de mensen door ziet ze een man met een filmcamera op zijn schouders. Ze rukt zich los en wringt zich door de mensenmenigte heen.

'Bent u gek geworden!' gilt ze. 'Wat doet u daar? Wat doet u? U staat op de brug. Help! Help dan toch! Het is mijn vriend. Ze zeggen dat hij dood is, godverdomme. En u staat te filmen!' Ze geeft de camera een duw. De man wankelt, maar blijft staan.

Fae wordt meegenomen en in de bus gezet. Haar vrienden zitten ook al in de bus: Gonneke, Dammetje, Jason. Ze zeggen niets. Allemaal kijken ze naar de grond.

Fae heeft haar ogen dicht en met de spullen van Muis op haar schoot, die ze dicht tegen haar buik vasthoudt, schommelt ze mee over de hobbels van de weg.

Muis, waar ben je? De beste vriend van Billy en de broer van Patrique. Ze heeft hem niet gevonden.

Langzaam verdwijnt Fae in een grote grijze zak, die zich nauw om haar heen sluit en waarbinnen niets gebeurt. Niets.

Er zit een ritssluiting in de zak. Van onder tot boven zit hij dicht, zodat alles vanbuiten niet naar binnen kan.

Zo af en toe rijdt de bus over een hobbel in de weg en opent Fae even haar ogen. Jason naast haar heeft blubber in zijn handen. Komt dat van de bodem? Is hij tot aan de bodem gegaan? Wat had de visser gezegd? Meer dan vijf meter diep.

Ze kijkt door de zak heen naar Jason. Hij schudt heen en weer.

Gonneke ook en Dammetje. Die is lijkbleek.

Ze worden door de politieagente in een soort kantine gezet. Langs de muren staan stoelen, in het midden is een grote tafel en verder is de ruimte leeg.

Fae gaat zitten. Rillend van de kou en met het stapeltje spullen van Muis nog steeds tegen zich aan, wacht ze op wat er komen gaat. Gonneke zit naast haar. Waar de anderen zijn, weet ze niet, ze let er niet op. Haar tanden beginnen te klapperen, dat voelt ze. De natte kleren die ze draagt, plakken nog steeds aan haar lijf. Naast haar klappertandt Gonneke, ook zij zit nog in haar natte bikini.

Waar is iedereen? Wat doen ze hier? Waar is Muis? Ze weet het niet, kan niet denken. Haar hoofd is leeg. Verdoofd. Weg, alles is weg.

De deur gaat open. Een politieagente komt de kantine in, gevolgd door vier vrouwen. De agente legt een deken om Fae en Gonneke heen. Een van de vrouwen komt naast Fae zitten.

'Ik ben van slachtofferhulp,' zegt ze, terwijl ze een hand naar Fae uitsteekt.

Fae pakt hem niet aan, ze trekt de deken om zich heen en houdt hem stevig vast. Wat is slachtofferhulp? Wat doet ze hier? Ze wil naar huis, het moet over zijn, voorbij. Waar is Muis? Dood. Nee, dat kan niet. Het kan gewoon niet.

Weer gaat de deur open. Na een minuut, of na een halfuur. Het wachten duurt lang. Waar wachten ze eigenlijk op?

Een man komt binnen en blijft midden in de kantine staan.

'Ik heb slecht nieuws,' zegt hij ernstig. 'Jullie vriend is overleden.'

Het zal wel. Fae blijft zitten. Ze schrikt op van een doffe klap.

Het is haar vriendin die is opgestaan en de grote houten tafel omver heeft geschopt.

Fae trekt weer aan de deken. Ze wiegt heen en weer en staart voor zich uit, zonder iets te zien, zonder iets te denken.

'Straks moeten jullie een verklaring afleggen,' hoort ze de man zeggen.

'Waarom?' gilt Gonneke. 'Zijn jullie gek?'

Fae wil opstaan, maar wordt aan haar hand vastgehouden door de vrouw die nog steeds, zonder een woord te zeggen, naast haar zit. Ze draagt slippers met een hakje, heeft voor de helft nagellak op haar tenen en stinkt naar zweet. Het is een raar mens. Wat doet ze hier? Wat moet ze van haar, denkt Fae.

De man gaat weg. Ze zijn hier nu al heel lang. Er komt niemand. Met zijn achten wachten ze, in een lege kantine waar de tafel op zijn kant op de grond ligt. Twee vrouwen proberen de tafel overeind te krijgen. Het lukt ze niet. De twee andere vrouwen komen helpen. Zonder iets te zeggen tillen ze hem overeind en gaan weer naast de kinderen zitten.

Dan wachten ze weer. Het duurt lang. De korte broek en het T-shirt van Fae plakken koud tegen haar lijf. Kunnen ze geen nieuwe kleren komen brengen? Wat moeten ze hier zo lang doen? Waar zijn haar ouders? Kunnen die haar niet komen halen? Weten ze wel waar Fae is?

De agente komt weer binnen. Fae moet met haar mee. Nog steeds in haar natte kleren en met de deken om, loopt ze achter de vrouw in het blauwe pak aan. In een klein kamertje moet ze op een stoel achter een bureau gaan zitten, tegenover de politieagente.

'Zo. Vertel eens. Wat is er gebeurd?'

'Niets.'

'Jawel, jullie vriend is verdronken. Hoe is dat gegaan?'

Ineengedoken, de deken stevig in haar hand geklemd, kijkt Fae de agente aan. 'Nou, dan weet u het toch?'

De agente kijkt geduldig, maar draait ongeduldig aan haar pen. 'Kan je me precies vertellen hoe het is gebeurd?

Het zou wel fijn zijn als je dat doet, jij was er toch bij?'

Fae knikt. De vrouw wacht.

'We stonden op de brug. We spuugden op een bootje. Muis draaide zich om. Hij stapte mis. Hij viel. En toen was hij weg.'

Ze wordt weer teruggebracht naar de kantine en wacht rillend van de kou.

Als iedereen om de beurt met de agente is meegegaan en weer op de houten stoelen zit, begint het wachten van voren af aan. Het is doodstil.

Eindelijk gaat de deur open en komt Faes vader binnen. Hij huilt. Haar grote dikke vader met de vrolijke kuiltjes in zijn wangen, huilt.

Dan is het misschien wel echt erg, denkt Fae.

Hij loopt naar haar toe en gaat naast zijn dochter zitten. Hij slaat twee armen om haar heen en drukt haar dicht tegen zich aan. Zachtjes wiegt hij haar heen en weer. 'Meisje toch, meisje toch.'

Patrique ligt op de bank, in zijn onderbroek. Zijn hoofd, ondersteund door een kussentje rust op de leuning. De zon schijnt door de gesloten jaloezieën en tekent schitterende strepen over het interieur. Als Patrique zijn ogen half sluit, gaan de strepen nog meer glinsteren.

Vanmiddag, om half drie is het gebeurd. Of om drie uur. Zoiets.

Het was zo heerlijk warm, nog steeds is het heerlijk warm. Soms doezelt Patrique even weg, om dan weer met een glimlach om zijn lippen wakker te worden in het gelukzalige gevoel dat wat hij droomt ook echt vanmiddag is gebeurd. Ze waren alleen thuis. Eerst niet, toen waren haar moeder en broertje er nog. Zodra zij weggingen, zijn Liselot en Patrique naar boven gegaan. Hij was zenuwachtig geweest en ook weer niet. Het ging vanzelf allemaal. Ze lagen op bed, ze zoenden wat. En van het een kwam het ander. Helemaal vanzelf, maar toch had hij er van tevoren over nagedacht. Had zij het al eens gedaan? Hoe kwam hij daar achter? Moest hij zeggen dat het zijn eerste keer was? Allemaal vragen die hij zich nu niet meer hoefde te stellen. Hij was heel voorzichtig geweest, het had geen pijn gedaan. En wat was het lekker!

De glimlach om zijn mond wordt nog groter. Buiten op straat komt een auto tot stilstand, twee deuren knallen dicht. Zou dat Muis zijn? Nee, die was met de fiets weg. Vanavond is hij thuis, hij zal alles willen weten. Patrique grinnikt bij de gedachte aan de gretige ogen van zijn broer, die alles uit hem zal willen trekken. Patrique zal geheimzinnig doen, tijd rekken, erachter komen of Muis het al gedaan heeft en tegelijkertijd zal hij het willen vertellen, delen met zijn broer hoe het was, hoe het voelde, wat er gebeurde. Alles van het begin tot het eind. En Muis zal ook alles vertellen, of nog meer vragen. Misschien is Patrique dit keer echt de oudste en de meest ervarene!

Het grind bij het huis knerpt. Er lopen twee mensen langs het raam. Het zullen collega's van zijn moeder zijn. Zal hij doen alsof hij slaapt en de mensen laten bellen zonder open te doen? Tenslotte ligt hij in zijn onderbroek hier op de bank, zo kan hij moeilijk naar de voordeur lopen.

De bel gaat.

Een van de twee mensen is naar het zijraam van de woonkamer gelopen. De vrouw legt een hand boven haar ogen en kijkt naar binnen, ziet Patrique liggen en wenkt hem.

Patrique staat op, trekt zijn broek van de stoel, en loopt naar de gang. Daar trekt hij hem aan.

Hij doet open. De twee dames staan naast elkaar, allebei in hetzelfde blauwe pak.

'Is je moeder thuis?' vraagt de een.

Patrique schudt zijn hoofd en wil de deur alweer dichtdoen, maar de andere vrouw vraagt: 'Je vader?'

'Die woont hier niet.'

'We zijn van de politie. Heet jij Pineda-van der Wal?'

Patrique knikt.

'Maurice Percy Pineda-van der Wal...' zegt de agente.

'Dat is mijn broer.' Patrique zucht, wat heeft hij nu weer uitgehaald?

'Hij heeft een ongeluk gehad.'

Patrique gaat van zijn ene been op de andere staan.

Moeten ze hem daarvoor lastigvallen? Die jongen heeft wel vaker een ongeluk gehad.

'Hij is overleden.'

Patrique pakt de deurpost vast. Het speeksel in zijn mond trekt weg. Zijn kaken worden stijf.

'Hoe dan?' vraagt hij. 'Waar? Hoe laat? Wat is er gebeurd?'

'Bij de brug over de Eem,' zegt de een.

'Om drie uur,' zegt de ander. 'Hij is gevallen.'

Patrique draait zich om, loopt de gang in, de vrouwen volgen hem naar de woonkamer, Patrique blijft heen en weer lopen, hij zegt niets, loopt van de muur naar de deur en weer terug. Plotseling staat hij stil.

'Is hij dood?' vraagt hij.

De vrouwen knikken.

'Dood? Echt dood? Weg?'

De vrouwen knikken.

'Is hij weg? Echt waar?'

De vrouwen knikken.

Patrique draait zich om en rent het huis uit. Hij rent de straat door en de volgende straat, en nog een, net zolang totdat hij voor het huis van Liselot staat. Haar moeder doet open. Patrique blijft staan.

'Ze zeggen dat Muis dood is.'

Moenja zit naast Joop, raampje open, elleboog eruit, zonnebril op haar neus, het kleine meisje achterin.

Het was heerlijk. Eindelijk was ze alleen op pad met Joop, dat is in jaren niet meer gebeurd. Het dagje luieren in de zon op het strand heeft haar goedgedaan. Met een gloed op haar wangen en het zand nog aan haar kuiten, heeft ze de kleine meid bij de buurvrouw opgehaald en is naar de slager gegaan om vlees voor de barbecue te kopen. Daarna heeft ze wat lekkers bij de banketbakker gekocht. Ze heeft lang getwijfeld tussen het hazelnoottaartje dat Muis' favoriet is en de slagroomtaart die Patrique het liefste eet. Uiteindelijk heeft ze ze allebei gekocht, wat maakte het uit, dan is er morgen nog een keer taart.

Er gaat een rilling langs haar rug. Een rilling van genot bij het idee dat iedereen vanavond thuis zal zijn en ze lekker buiten gaan eten, en een rilling van de vele zonnestralen die haar huid toch licht verbrand hebben.

Ze rijden de straat in. Er staat een auto voor haar huis. Joop parkeert zijn wagen erachter en stapt uit. Hij neemt de taarten en het vlees mee, terwijl Moenja de vrolijk pruttelende Parel uit het stoeltje tilt. Met het meisje op de arm loopt ze het grindpad op, direct door naar de achtertuin. Er komen twee vrouwen de tuin uit gelopen, recht op Moenja af.

'Dag,' zegt Moenja en kijkt de vrouwen verbaasd aan. Ze loopt door. Patrique ligt in een tuinstoel. Hij kijkt haar aan.

Hij kijkt raar.

'Patrique, wat is er?' vraagt Moenja.

Direct draait Patrique zijn hoofd weg.

Plotseling is haar blije gevoel weg. Haar keel zit dicht, haar buik wordt hard.

Een van de twee vrouwen komt naar Moenja toe gelopen. 'Mevrouw,' zegt ze. 'Uw zoon heeft een ongeluk gehad.'

Snel kijkt Moenja naar Patrique. Hij? Maar dat kan...

'Hij is helaas overleden.'

Uit Moenja's keel komt een oorverdovende schreeuw.

Direct begint Parel te huilen. Moenja zet haar op de grond, tilt haar weer op en geeft haar aan Joop.

Moenja blijft staan, met haar benen iets uit elkaar. Ze kijkt van Patrique naar de politieagenten en schudt haar hoofd.

'Het kan niet,' fluistert ze. 'Dat kan niet.'

Niemand zegt wat, iedereen kijkt naar Moenja.

'Dood?' vraagt Moenja. 'Zeiden jullie dat? Hoezo?'

De agenten knikken. Moenja schudt haar hoofd, van links naar rechts, van rechts naar links.

'Dat kan niet,' zegt ze weer. 'Dat kan niet.'

Plotseling, alsof er een vloedgolf uit haar buik komt, kronkelt Moenja's lijf en stromen de tranen over haar wangen. Ze draait zich om en loopt het huis in. Even later is ze weer terug, met haar armen gebogen voor zich uit. Alsof ze een kind draagt. Haar linkerarm onder zijn billen, de rechterarm in gebogen vorm om zijn rug. Zo loopt ze de tuin rond, zonder iets te zeggen. Ze kijkt, ze zoekt. Ze ziet Patrique in de stoel, die haar met zijn ogen blijft volgen.

Ze houdt een kind vast, maar er is geen kind. Ze loopt weer naar binnen, de kamer in.

'Muis!' roept ze. 'Muis!' Dan gaat ze met haar rug tegen

de deur staan en laat zich naar beneden glijden, haar armen nog steeds gebogen. Ze klemt het kind dicht tegen zich aan. 'Muis!' huilt ze. 'Nee Muis. Niet doen. Kom terug.'

Haar lijf kronkelt, ze vouwt in elkaar, maar houdt het kind vast.

Plotseling springt ze overeind, loopt het huis uit, naar Patrique toe. Hij is er niet. Ze roept zijn naam. Ze roept Muis. Waar is Patrique? Ze moet naar hem toe. Hij mag niet alleen zijn. Waar is Muis? Die mag ook niet alleen zijn.

Ze kijkt om zich heen. De twee vrouwen zijn weg. Joop loopt in de tuin met Parel op zijn arm, die hij met wiegende schokjes probeert te troosten.

'Waar zijn ze?' roept Moenja.

'Weg,' antwoordt Joop.

Ze ziet tranen op zijn gezicht. Even denkt ze: waarom huilt hij? Maar ze heeft geen tijd om er bij stil te staan.

'Waar is Muis?'

'Weet ik niet.'

'En Patrique?'

'De straat op.'

'Alleen?'

Joop knikt. 'Dat wilde hij.'

Ze draait zich om en rent het pad af, de straat op.

Patrique loopt aan het eind van de straat. Alleen, met gebogen hoofd. Moenja roept hem, maar hij reageert niet. Ze rent harder.

Hij gaat de hoek om, maar ze haalt hem in.

'Patrique,' zegt ze als ze voor hem staat. 'Waar ga je heen?'

'Weg.'

Ze moet iets omhoog kijken om hem goed te kunnen

zien. Hij heeft snot aan zijn gezicht. Met haar linkerhand pakt ze zijn hoofd vast en met haar andere hand veegt ze het snot weg. Net als toen hij een baby was.

'Patrique?' vraagt ze. 'Muis?'

Hij kijkt haar aan en haalt zijn schouders op.

'Wat hebben ze gezegd?' vraagt ze.

Hij haalt weer zijn schouders op.

'Waar ga je heen? Moeten we hem niet zoeken?'

Ze kijkt hem aan. Er is niets in zijn ogen. Twee zwarte, fletse ogen. Twee ogen die alles zeggen maar toch zwijgen.

'We moeten naar hem toe. Waar is hij. Dood? Dat kan toch niet?'

Patrique haalt zijn schouders op. De handen die zijn moeder achter in zijn nek heeft gevouwen, maakt hij los.

'Mam,' zegt hij met een zachte stem. 'Ik ga.'

'Waar naartoe?'

Hij schudt weer met zijn schouders. 'Weet ik niet, ik moet gewoon even weg.'

'Waarheen dan? En Muis? Wil je niet mee? Naar je broer. Kom, Patrique.'

Hij schudt zijn hoofd. 'Ik moet gaan.'

Ze staat voor hem, met haar handen langs haar lichaam. 'Ga maar,' zegt ze. 'Wil je echt alleen?'

Hij knikt en loopt weg. Ze kijkt hem na. Hij gaat nog een bocht om, naar het speelveldje.

Moenja loopt terug. Op weg naar Muis.

Nee, denkt ze. Nee, het kan niet. Het kan niet.

Straks is alles weer goed.

Trúc en Dolores hangen onderuitgezakt, op het bankje, in het Rozenparkje. Charley ligt bij hen in het gras. Mo is er ook, een vriend van Muis' school, maar inmiddels een vriend van allemaal.

Ze kletsen een beetje en hangen heerlijk in de warme zon. Ze lachen om een seksmop, kijken een beetje, vertellen wat ze vandaag gedaan hebben: Charley had bijna een meisje gezoend in het zwembad, Trúc heeft de mooiste crossmotor van zijn leven gezien, Mo heeft vanochtend natuurlijk gevoetbald en de rest van de dag een beetje rondgehangen en Dolores heeft een ontzettend lekker ding gezien toen ze met haar moeder op visite was bij een kennis.

Wat een heerlijk lome dag, zo'n dag die eigenlijk al een week duurt: warm en sloom. Ze hoeven de hele dag geen moer te doen.

Er komt een man over het schelpenpaadje aangelopen. Hij houdt een fiets, volgepakt met hengels en plastic tassen, aan zijn hand. Het is ouwe Harm, die helemaal achter in Baarn woont, vlak bij het Kermisterrein. Ouwe Harm stinkt omdat hij altijd aan het vissen is, of omdat hij zich nooit wast. Maar dat maakt niets uit, ouwe Harm is aardig en heeft altijd wel een gek verhaal.

'Harmpie!' zegt Charley.

De man stopt en spuugt op de grond. 'Heb je het al gehoord?' zegt hij. 'Die jongen is dood.'

'Welke jongen?'

'Nou die...' Hij wijst met zijn hoofd. 'Die van die...'

In de verte komt Patrique aangelopen met zijn nieuwe vriendin en nog een meisje.

Ouwe Harm kan hem niet zien, hij staat met zijn gezicht naar hen toegekeerd.

'...van die tweeling.'

De kinderen kijken hem aan. Ouwe Harm met zijn verhalen. Daar is Patrique met twee vriendinnen. Niets aan de hand.

Voor het bankje staat Patrique stil. De meisjes blijven ieder aan een kant, schuin achter hem staan.

'Muis is dood,' zegt Patrique.

Charley schiet in de lach. Muis is dood. Doe niet zo debiel. Je bent niet zomaar ineens dood.

Maar Patrique zegt het raar, zo stijf, alsof hij vertelt dat de kippenbouten in de reclame zijn.

'Hoezo?' vraagt Dolores.

'Nou gewoon,' antwoordt Patrique. 'Dood.'

'Dat kan niet. Dood.'

Patrique trekt zijn schouders op.

Mo springt van de bank en gaat voor Patrique staan. 'Wat bedoel je? Wat is er?'

Patrique kijkt naar de grond, schopt een steentje weg. De twee meisjes blijven zwijgend naast hem staan, als hofdames bij hun prinses. Ouwe Harm houdt zijn stuur stevig vast. In de zon stinkt hij nog erger dan anders, maar niemand neemt er aanstoot aan.

'Ze kwamen het zeggen. Twee vrouwen. Ze zeiden: "Is je moeder thuis?" Toen zeiden ze: "Maurice Percy Pineda-van der Wal." Ik zei: "Dat is Muis, mijn broer." Toen zeiden zij: "Die is overleden." '

Charley ligt nog steeds in het gras. Zijn mond gaat niet meer dicht. Op zijn blote armen zit kippenvel.

'Nou,' zegt Patrique en schopt nog een steentje weg. 'Ik ga maar weer eens.'

'Maar hoe dan?' vraagt Trúc. 'Je bent toch niet zomaar dood?'

'In de Eem,' antwoordt Patrique. 'Maar ik ga weer.'

Hij loopt door. Alsof hij het niet is.

God, man, wat een feest op de camping. Billy wankelt zich een weg door de wietdampen om de wc te gaan bezoeken. De camping bestaat uit een soort doolhof van opgestapelde bierkratten. Daartussen staan de kleine koepeltentjes waar meestal een hoofd uitsteekt, lurkend aan een flesje bier of zuigend aan een joint. Soms is er bij de tent een buiteninterieur gemaakt, vijf kratten op zijn kop zijn een tafel en vier kratten zijn een stoel. En om die buitenmeubelen is een haag van bierkratten gebouwd. Bij iedere tent hoort een gezellige gettoblaster, overal knalt de muziek uit de boxen.

Billy is knetterstoned, het is zo verschrikkelijk grappig. Net heeft hij erwtensoep gegeten bij de buurvrouw en haar vriend; geld om zelf eten te kopen hebben de drie jongens niet meer, en hoe je een blik open kan krijgen, weet Billy eigenlijk ook niet meer, dus was hij ontzettend blij met de soep van dat lieve vrouwtje. Het was een beetje raar, erwtensoep in deze hitte, maar het maakte allemaal niets uit. Niks maakt uit. Het is allemaal zo verschrikkelijk gezellig hier. Het is één grote familie. Iedereen is zo ongelooflijk lief voor elkaar. En een lol! Billy heeft al drie keer in zijn broek gepiest van het lachen, maar dat was ook niet erg. Hij loopt gewoon in zijn zwembroek over de camping en als hij dan weer plast, gaat hij gewoon even onder de douche staan.

Billy neemt een hijs van zijn joint. Zonder zich af te drogen, loopt hij weer terug. Vrolijk zwaaiend met beide armen baant hij zich een weg door de wietdampen naar de tent van de buren. Het is schemerig geworden, maar dat kan ook de rook zijn, hoe laat het is, daar houdt Billy zich niet mee bezig.

Verrek, daar loopt zijn vader.

Ziet hij het goed?

Daar, in de verte. Daar loopt zijn vader met de vader van Gonneke. God man, wat gezellig dat hij hem helemaal hier in Zeeland komt opzoeken.

'Hé ouwe!' roept Billy naar zijn pa, die een beetje vreemd, langzaam maar toch doelbewust, op hem af komt lopen.

Als zijn vader naast hem staat, slaat Billy een arm om hem heen. 'Papaatje!' En Billy neemt nog eens een flinke hijs van zijn joint.

Shit! Kut! Shit! Nu ziet zijn vader dat hij blowt. Shit, shit, dat wist zijn vader helemaal niet. Snel gooit Billy de peuk achter hem in het dorre gras.

'Hé!' wil Billy over het lawaai van alle muziek brullen. 'Hé, mensen, lieverds, schatten, dit is mijn pa!'

Staat zijn vader daar ineens te huilen.

Billy laat de arm van zijn vaders schouder glijden, doet een stapje opzij en kijkt hem aan. Ziet hij het goed, staat daar zijn vader te janken?

'Hé pa, wat is er met jou?'

'Jochie,' snikt zijn vader. 'Muis is dood.'

Billy zit achter in de auto tussen Sven en Don, zijn scootermaten in. De drie scooters zijn achter op de aanhangwagen gebonden.

Zijn vader rijdt, felle koplampen schijnen over de donkere weg. Naast hem zit de vader van Gonneke. Niemand zegt een woord.

Hij is dood, gaat er door Billy's hoofd.

Nee, hij is niet dood.

Verder denkt hij niets.

Toen hij het hoorde, had hij een loeiharde kreet geslaakt. Direct daarop leken twee klappen zijn oren te hebben dichtgeslagen en een stomp in zijn maag hem de adem ontnomen. Hij was in elkaar gezakt, weer opgestaan, had zijn vader aangekeken en niets gezegd. Niets.

Na de luide brul was de camping doodstil geworden. Oorverdovend stil.

Alleen Sven was te horen, hij rende krijsend over de camping. Een paar campinggasten renden achter hem aan, bang dat hij zichzelf iets aan zou doen.

Het was ineens donker. Billy was weer gaan zitten. Zijn buurvrouw sloeg een arm om hem heen. Terwijl Billy op de grond zat met zijn armen om zijn knieën geslagen, pakte zijn vader de tent in, haalden de campingvrienden de scooter van het slot en reden hem op de kar.

En nu zit hij in de auto. Op weg. Naar Muis. Of niet. Misschien op weg naar nergens.

Laat dat zo zijn; op weg naar nergens.

Billy heeft zijn ogen dicht. De misselijkheid die voortdurend door zijn maag trekt, probeert hij weg te slikken.

Soms schiet er een zinnetje door zijn hoofd: 'Muis is dood.'

Laat de auto blijven rijden. Zolang ze op weg zijn, is er niets aan de hand. Alles blijft zoals het was. Want het kan niet. Muis kan niet dood.

Ze rijden en rijden door het donker.

En als het licht wordt en ze vlak bij Baarn zijn, als hij, met gesloten ogen voelt dat ze de rotonde bij Groeneveld oprijden, dan is alles weer goed.

Dat hoopt hij.

Fae droomt dat haar arm bijna uit haar lijf wordt getrokken.

Ze heeft hem! Met alle kracht trekt ze Muis omhoog, maar dan laat hij plotseling los en zakt ze in elkaar.

Ze pakt hem weer en houdt hem nu vast. Goed vast.

Toch valt hij ineens in het water! Ze wacht geen seconde, ze twijfelt niet, ze rent naar beneden, ze vliegt naar beneden en met schoenen en al springt ze in het water. Ze zwemt naar hem toe en heeft hem. Ja! Ze heeft hem. Spartelend zwemt ze met hem terug en legt hem op de kant. Muis, o Muis! Ze slaat een handdoek om hem heen en wrijft hem droog. Ze houdt hem vast, net zolang totdat alles weer goed is.

Nee, ze springt hem gewoon achterna als hij zomaar ineens valt. Ze weet meteen wat ze moet doen: Springen, hem pakken en naar de kant trekken.

Nee! Ze had al moeten springen toen hij nog in de lucht zweefde. In haar sprong had ze hem kunnen pakken en een eindje mee kunnen trekken, zodat hij niet op de pijler terecht was gekomen.

Nee. Het kon heel simpel. Hij stapte mis, maar zij pakte zijn hand.

Klaar.

Plotseling schiet Fae overeind in haar bed. Haar keel zit dicht, haar handen zijn nat van het zweet.

Wat is zij stom.

Wat is zij ongelooflijk stom geweest.

De allerallerbeste vriend van Billy.

De broer van haar vriend.

Billy en Patrique. En zij heeft alles verpest.

Haar buik is een dikke harde bal. Alles is hard. En koud.

Waar is ze? Hoe laat is het? Ze slaat in de lucht op zoek naar het lichtknopje, maar vindt het niet.

Ze hoort iemand haar naam noemen.

'Ja,' antwoordt Fae.

Meteen zit ze in het licht. Ze herkent Gonnekes kamer en naast haar ziet ze haar moeder.

'Mama.'

'Ja.'

'Mama, waar is Billy? En Patrique?'

'Die slapen.'

'En Muis?'

Ze hoeft niet op antwoord te wachten. Fae staart voor zich uit en schudt langzaam haar hoofd.

Zijn grote bange ogen kijken haar aan. Langzaam, heel langzaam glijden ze naar beneden. Die ogen blijven haar doordringend aankijken, terwijl ze toch steeds verder in de donkere diepte verdwijnen.

'Gaat het?' hoort ze mama zeggen. 'Wil je wat drinken? Fae? Gaat het?'

Haar moeder kruipt uit de slaapzak en gaat naast Fae op het bed zitten. Ze slaat een arm om haar heen. Fae blijft voor zich uit staren. Hij valt, hij gaat. Ze kan hem niet tegenhouden.

Ze voelt nog een arm om zich heen en Fae kruipt erin weg. Met haar ogen dicht. Langzaam laat ze zich door haar moeder heen en weer wiegen. Ze voelt de kusjes die ze op haar haren krijgt en hoort de stem in haar oor: 'Je hebt het goed gedaan, mijn meisje. Heel goed.'

Fae schudt haar hoofd.

'Jawel. Alles wat jij deed was goed.'

Weer schudt Fae haar hoofd. 'Nee mam,' zegt ze. 'Hij is weg.'

Haar moeder geeft geen kusjes meer. Ze heeft haar wang op Faes hoofd gelegd.

'Meisje,' hoort ze zeggen, terwijl ze zacht heen en weer gewiegd wordt. 'Meisje, mijn meisje.'

Het is middag. Fae is vanochtend met haar moeder naar huis gegaan. Ze zit nu op de bank. Rafael, Mo, Trúc, Jason, Charley, Gonneke, Dolores, Kick en zijn vriendje Peter zijn er ook. De voordeur staat open, vrienden uit het dorp lopen in en uit, komen binnen, vallen hun vrienden in de armen, vragen wat er gebeurd is, kijken naar Fae, vragen haar hoe het gebeurd is.

'Hij viel.'

Dat is haar antwoord. Niet hoe en waarom en hoe laat en waar hij stond. Niet elke keer zijn uitgestoken hand zien als ze erover vertelt, zijn ogen, het water, de bellen.

Fae zit in het hoekje van de bank voor zich uit te staren. Als iemand doorvraagt, trekt ze haar schouders op. Maar antwoord geeft ze niet. Heel soms zegt ze: 'Ik weet het niet.'

Billy is nog niet wakker. Ze heeft hem nog niet gezien. Patrique heeft ze ook nog niet gezien.

Als de telefoon gaat, neemt Pamela op.

Het is Patrique.

'Voor jou,' zegt ze tegen Fae.

Meteen is Fae steenkoud. Ze staat op, pakt de telefoon aan en loopt naar een hoek van de kamer.

'Hé,' zegt Patrique. 'Heb je het al gehoord? Muis is dood.'

Fae staat met de hoorn tegen haar oor.

'Hoor je me? Muis is dood.'

'Sorry,' zegt Fae.

'Hij is dood.'

'Sorry, Patrique. Sorry.'

'Ja hij is dood.'

'Ja. Patrique, sorry.'

'Hij is dood. Nou, ik hang weer op.'

De verbinding wordt verbroken. Fae blijft met de telefoon in haar hand staan. Heeft hij haar gehoord? Zal hij begrepen hebben waarom Fae 'sorry' zei? Weet hij al dat zij erbij was? Waar is hij?

Billy komt in de kamer. Iedereen valt stil en kijkt naar hem. Hij staat in de kamer in zijn onderbroek, ziet niemand. Hij loopt naar de glazen schuifpui, kijkt naar buiten, over de weilanden, waar de koeien op hun gemak staan te grazen.

Niemand durft naar hem toe te lopen, allemaal blijven ze waar ze waren.

Pamela komt uit de keuken naar hem toe, gaat naast hem staan, pakt zijn hand vast. Vertwijfeld kijkt hij haar aan.

'Muis?' vraagt hij.

Pamela knikt.

Billy kijkt voor zich uit, staart in het niets.

Trúc springt op. 'Kom,' zegt hij. En zonder verder iets met elkaar te bespreken, gaan ze allemaal het huis uit.

Fae springt achter op de fiets van Jason.

Anderen pakken hun scooters en scheuren weg.

Bij het Rozenparkje zetten ze hun fietsen en scooters neer en gaan op het grasveld zitten.

'Hier zaten we vaak,' zegt Trúc.

'Hij klom vaak op het dak van het theater,' zegt Jason. Plotseling begint hij te huilen. 'Ik zat in mijn bootje!' snikt hij. 'En ik kon niets doen.'

'Het kan niet!' gilt iemand. 'Het mag niet!'

'Ik kan het gewoon niet geloven.'

'Wat is er nu precies gebeurd?'

'Hij viel.'

'Maar hoe dan?'

'Konden jullie niets doen?'

'Ik baal zo dat ik er niet bij was, ik had hem kunnen pakken, ik durf daar te duiken.'

Faes adem stokt in haar keel.

'Ik ook,' zegt iemand anders.

Fae hoort niet wie het zegt. Iedereen had hem kunnen redden. Niemand was erbij, behalve Fae.

Charley staat op. 'Laten we naar de brug gaan!' zegt hij. De groep is inmiddels veel groter geworden. Maar iedereen springt op en rijdt weg.

Allen Fae blijft in het gras zitten. Ze staart voor zich uit. Alle kinderen uit het dorp hadden hem kunnen redden. Dat zeggen ze.

Behalve Fae.

Plotseling staat Trúc voor haar neus. Hij zet één been op de grond en laat het andere op de trapper staan. 'Ga je niet mee?' vraagt hij.

Fae schudt haar hoofd.

Trúc zoekt naar woorden en vindt ze.

'Hé,' zegt hij. 'Verdomme.'

Plotseling begint ze te huilen. Een klein hoopje in elkaar gevouwen Fae. Met haar gezicht tussen haar knieën, op het gras, terwijl Trúc erbij staat. Hij legt zijn fiets in het gras, knielt naast Fae en slaat zijn armen om haar heen.

Hoe lang ze daar zitten, weten ze niet.
Niemand weet hoe lang alles duurt.

Pas als ze opstaan kijken ze elkaar aan. Zonder iets te
zeggen pakt Trúc zijn fiets op en samen lopen ze naar het
huis van Muis en Patrique.

Er is niets afgesproken, maar als Fae en Trúc er
aankomen, is de hele club er ook. Veel mensen in het kleine
huisje, dat met een eettafel, bankstel en een tv-meubel al
behoorlijk vol is.

Fae loopt de huiskamer in waar haar vrienden en een
paar ouders zijn. Ze praten allemaal door elkaar, over hoe
het gegaan is, over de brug, over de graffiti die er zojuist
door een stel jongens is gespoten, over Muis, de hutten die
ze bouwden, de lege huizen, over zijn grapjes. Ze praten en
praten.

En Fae wacht, midden in de kamer, tussen alle mensen.
Straks komt Muis weer binnen. Vrolijk en energiek zoals
altijd en met een mooi verhaal.

Patrique staat in de keuken. Hij eet koekjes. Vanuit de
kamer kan Fae hem zien, maar ze is nog niet naar hem toe
gegaan. Het moet wel, ooit moet ze naar hem toe.

Moenja loopt de kamer uit en komt even later terug met
bladen vol glazen limonade. Als ze bij Fae komt, zet ze het
blad op de tafel en slaat haar armen om haar heen.

'Kom hier,' zegt ze. Fae voelt haar schouder nat worden
van de tranen.

Of is dat van het zweet? Het is nog steeds warm, net zo'n
mooie dag als gisteren.

'Heb je hem al gezien?' vraagt Moenja, als ze zich losmaakt
uit de omhelzing.

Fae schrikt. 'Wie?'

'Muis.'

'Waar?'

'In de Bark, het rouwcentrum.'

'Wat doet hij daar?'

Direct schaamt Fae zich voor de stomme vraag. Even hoopte ze dat hij er toch nog was. Steeds hoopt ze dat hij er toch is.

'Hij ligt er mooi bij,' zegt Moenja. 'Alleen een beetje blauw. Je moet erheen gaan. Neem Patrique mee, doe je dat? Hij wil niet. Maar ik heb gezegd dat hij zijn broer nog één keer moest zien.'

Fae kijkt om zich heen. Ze staat nog steeds midden in de kamer. Aan de eettafel zit Dolores met nog een paar meiden te schrijven, samen met de oom van Muis. Ze schrijven adressen op de enveloppen. In die enveloppen komen kaarten, rouwkaarten. Daarop staat dat hij dood is.

Plotseling staat Patrique naast haar. Faes buik krimpt in elkaar. Hij pakt haar hand en kijkt haar aan. Maar ze kan niet terugkijken. Ze knijpt in zijn hand.

'Sorry,' zegt ze weer.

Hij blijft knijpen.

'Ik...' Meer woorden heeft ze niet. Ze schudt haar hoofd. Staart naar de grond.

Uit de radio, die in de keuken staat, komt een krakerig liedje. Een opgewekt liedje. Patrique beweegt de arm van Fae heen en weer en zingt mee. Met het liedje. Hij zingt gek, grappig, lalt onverstaanbare woorden. In de kamer, aan de hand van Fae. Met iedereen om hen heen.

En dan gaat iedereen ineens weg. Fae ook, en Patrique gaat mee. Op de scooter, op de fiets, bij elkaar achterop. Naar Billy.

Hij zit in de kamer op de bank heen en weer te wiebelen.

'Hij zit er al zolang jullie weg zijn,' zegt Pamela. 'Hij heeft nog geen woord gezegd.'

Fae, Patrique, Trúc, Gonneke, Jason, Rafael, Mo, Charley, Kick en zijn vriendje Peter, de twee scootervrienden, anderen uit het dorp staan allemaal in de kamer. Ze staan, ze kijken naar Billy, ze lopen heen en weer.

Mo slaat een arm om Billy heen. Hij lijkt het niet te merken.

Rafael komt de kamer binnen, zijn ogen schieten alle kanten op, hij kijkt naar buiten, alsof hij iemand verwacht.

Sjef, de vader van Fae, gaat voor hem staan, zodat de jongen even moet stoppen. 'Rafael, wat doe je?'

Verschrikt kijkt Rafael Sjef aan. 'Ik kijk,' zegt hij. 'Ik geloof het niet.'

Sjef loopt naar Rafael toe en pakt zijn hand vast.

'Ik geloof het niet,' zegt Rafael. 'Ik zat in mijn bootje, samen met mijn vriend. We kwamen bij de jachthaven aan. Er was een traumahelikopter en een politieboot. Ze zeiden dat er een jongen vermist was. Of we wilden zoeken. Dat hebben we gedaan. Met de boot. We zijn wel tien keer onder de brug door gevaren. Maar we vonden hem niet. Toen zijn we ermee gestopt, we waren moe. Ik legde aan in de jachthaven. En liep over de brug naar huis. Ik zag al die mensen daar staan, ik zwaaide nog naar ze. Maar ik wist van niets. Toen ik thuis was, kwam Mo langs. Hij zei: "Hé, Muis is dood."'

Wanhopig kijkt Rafael naar Sjef. 'Is het echt waar?'

Sjef knikt. 'Het is echt waar.'

Rafael staart voor zich uit. 'Dus ik heb naar Muis gezocht, zonder dat ik het wist?'

Sjef knikt.

'Ik kan het maar niet geloven,' zegt Rafael. 'Muis.'

'We kunnen bij hem gaan kijken,' zegt Sjef. 'Moenja vroeg of we kwamen. Wie Muis wil zien, mag mee.'

Allemaal gaan ze: Fae, Billy, hun ouders, Rafael, Charley, Gonneke, Dolores, Mo, Trúc. Alleen de scootervrienden durven niet. Patrique was alweer naar huis gegaan, zoals zovelen die in de loop van de dag even binnenkwamen en weer wegvlogen.

Kick gaat met zijn vriendje Peter mee naar huis. Hij wil ook mee, maar dat kan later wel.

Het is doodstil als ze de trappen van het rouwcentrum op lopen.

Daarbinnen ligt hun vriend.

In de hal staat Patrique. Moenja komt net uit een kamer naar hem toegelopen, en slaat zijn armen om hem heen.

De groep wacht op wat komen gaat. Fae kijkt naar de gele bakstenen, naar de lichtbruine bolle lampen aan het plafond, die een vaalgeel licht geven.

Het is een rare, kille ruimte. En ergens moet Muis zijn.

Billy maakt zich los van zijn moeder en zonder iets te zeggen loopt hij weg. De hal uit, de trap af. Even lijkt het of niemand erop reageert, dan gaat Pamela achter hem aan.

Hij komt niet terug.

Moenja draait zich naar de groep. 'Willen jullie hem zien?' vraagt ze. 'Niet schrikken hoor, hij is blauw.'

Jason gaat mee, hij heeft Gonneke vast. Charley heeft de handen van Rafael en Trúc vast, Dolores die van Mo, Fae met haar vader. Hij pakt Patrique bij de andere hand.

Het is een vierkante kamer met dezelfde gele bakstenen; in de hoek op een krukje staat een bos stinkbloemen. Verder niets. Alleen een grote tafel in het midden. Op die tafel staat een kist. Een witte.

Langzaam lopen de kinderen naar de kist toe.

Daar ligt hij.

Muis.

Lieve, stoute, vrolijke, levendige, gekke Muis. Met een blauw gezicht.

Fae ziet dat de anderen schrikken.

Maar zij schrikt niet.

Gelukkig, hij ligt er.

Hij is rustig.

Hij is er nog.

Ze voelt een arm om zich heen, ze weet niet van wie.

Maar ze wil ook Billy zoeken. Hij is er nog niet. Hij wil Muis niet zien, hij wil haar niet zien.

Patrique komt bij haar staan. Hij is stil. Stil en koud. Fae ziet Moenja huilen. Billy is weg. Allemaal omdat zij het niet goed heeft gedaan.

Ze krijgt geen adem meer.

'Mijn broer,' fluistert Patrique. 'Muisie.'

Rafael staat voor de kist, bij de voeten van zijn vriend. Hij kijkt naar de trainingsbroek die hij aanheeft, met een streep langs de zijkant van de pijpen. Een oude broek die Muis van hem heeft gekregen.

Het gezicht van Muis is vertrokken in een rare plastic grimas. Het is waar, hij is echt dood.

Hij ligt zo ontzettend stil. Waar is hij? Waar is hij gebleven?

De deur gaat open, Pamela komt binnen met Billy. Ze heeft zijn hand vast. Er wordt plaatsgemaakt zodat Billy dichterbij kan komen. Pas als hij pal naast de kist staat, durft Billy te kijken en ziet hij zijn vriend liggen.

Dan huilt hij zo verschrikkelijk, zo afgrijselijk verschrikkelijk, dat iedereen mee gaat huilen.

Muis ligt roerloos, zonder zich iets aan te trekken van de jammerklachten.

Moenja komt naast Billy staan.

'Pak hem maar,' fluistert ze. 'Pak zijn hand maar.'

Dat doet Billy. Hij pakt de koude, stijve hand van zijn vriend.

Fae wordt wakker en ze redt Muis. Ze hangt over de reling en grijpt zijn hand.

Nee, het is anders.

Er was geen bootje met een jongen erin waar ze zo stom op spuugden. Ze waren gewoon naar boven gegaan, Muis was over de reling geklommen en hoefde niet te wachten voor het bootje. Hij dook meteen naar beneden.

Maar zo ging het niet! Hij viel.

Die ogen, zijn prachtige bruine ogen vol angst die haar maar bleven aankijken!

Fae pakt het dekbed en trekt het over zich heen. Het is warm in de kleine logeerkamer aan de voorkant van het huis, maar ze voelt het niet. In haar eigen kamer wil ze niet meer slapen. Ze heeft daar nooit lekker gelegen, ze was er altijd bang voor geesten, maar had het nooit gezegd. Wie is er nu bang voor geesten!

Nu kan ze absoluut niet meer in die kamer zijn. Ze ligt in het kleinste kamertje van het huis, onder de schuine wand van het dak. Haar bed staat precies ingeklemd tussen de voorgevel en de slaapkamerwand. Naast haar slaapt haar moeder.

Het bed van haar moeder is leeg. Hoe laat zou het zijn?

Daar gaat hij weer! Muis valt!

Stop, stop!

Maar Muis valt maar door.

Ze moet hem pakken, pak hem dan, waarom doe je niets?

Trek die schoenen uit! Houd ze aan! Spring in het water!

Waarom sprong ze niet van de brug af? Waarom sprong niemand van de brug af? Iedereen liep eerst naar beneden. Dachten ze dat dat sneller was?

En ze nam ook nog de tijd om haar schoenen uit te doen.

Ze had alles fout gedaan.

Overnieuw. Ze stonden dus op de brug. En Muis draaide zich om en stapte mis. Dat zag Fae, dus pakte ze meteen zijn hand, waardoor hij toch zijn voet kon neerzetten.

Nee. Ze stond achter de reling en Muis stond schuin voor haar. Toen hij naar beneden ging spugen, riep ze dat hij dat niet moest doen. Er was niet eens een bootje, hij kon meteen duiken. Hij hoefde zich niet om te draaien.

Hij viel wel, maar ze riep hem achterna dat hij moest uitkijken. Daarom kon hij met dat dunne lenige lijf van hem ver genoeg van de pijler weg komen.

Welke debielen maken die betonnen pijlers zo in het water dat je vanboven niet kan zien hoe breed ze zijn?

Waar is hij nu?

Nog steeds in die kist.

Fae verstijft. Nog steeds zit ze in die rare grijze zak met de ritssluiting dicht.

Wat moet ze doen? Opstaan? Blijven liggen? Onder de douche? Hoe laat is het, welke dag? Ze trekt het dekbed over haar hoofd en knijpt haar ogen stijf dicht.

Het kan toch niet? Het kan niet dat hij zomaar weg is. Hoe moet het nu? Hoe moet het met Patrique en Billy, die zo verschrikkelijk verdrietig zijn. Billy huilt de hele dag, terwijl hij op het puntje van de bank heen en weer zit te schommelen.

En Patrique komt steeds naar hun huis, kijkt om zich heen zonder iets te zeggen en gaat dan weer weg.

Zij heeft het gedaan.

Iedereen heeft zoveel verdriet. En dat komt allemaal door haar.

Daar gaat hij weer! Hij valt, hij valt! Fae schopt het dekbed van zich af, komt overeind en stoot haar hoofd. Met twee handen pakt ze de zere plek vast, en gaat de logeerkamer uit.

Als ze de zoldertrap af loopt, komt de geur van gebakken eieren haar tegemoet. Geen broodje gesmolten kaas, zoals Muis altijd maakte. Al dagen geen broodje gesmolten kaas meer.

De slaapkamerdeur van Billy staat open. De vloer ligt vol matrassen en hoopjes lege slaapzakken die als vodden zijn achtergelaten. Er is niemand meer op de kamer.

Beneden is het stil. Ook in de kamer liggen slaapzakken en matrassen. Al twee dagen blijft iedereen bij Billy en Fae slapen.

Maar nu is iedereen weg. Op Pamela na, die in de tuin staat en naar de koeien in het weiland kijkt.

Fae loopt de kamer uit, naar haar moeder toe. Het is alweer een warme dag, zo'n heerlijke zwoele, zonnige dag, net als gisteren, en de dag ervoor. Fae merkt er niets van. Ze draagt een slipje en een hemdje, haar haren zitten in dikke klitten achter op haar hoofd. Ze heeft het niet koud en niet warm, en heeft geen benul van haar uiterlijk. Ze gaat naast haar moeder staan. Een eind verderop dendert de trein over de rails naar Amersfoort.

Even later is het weer stil.

Pamela slaat een arm om haar dochter heen. 'Waar is iedereen?' vraagt Fae.

'Naar de brug. Nieuwe kaarsen neerzetten.'

'Billy ook?'

'Nee, hij is naar Muis, zei hij. Maar hij blijft lang weg. Hoe is het met je?'

Fae trekt haar schouders op. De arm van Pam gaat mee omhoog.

'Heb je geslapen?'

'Ik geloof het wel.'

'Dat is al heel wat, meisje.'

Meer zeggen ze niet.

Fae staat dicht tegen haar moeder aan. Ze maakt geen geluid, ze heeft geen tranen, maar toch huilt ze onophoudelijk.

Pam wijst met haar hoofd naar het gras, naar de planten in de border. 'Zo gek,' zegt ze. 'Sinds gisteren is alles grijs.'

Fae hoort de zin: 'Sinds gisteren is alles grijs.' Maar de betekenis van de woorden dringt niet tot haar door.

Haar moeder kijkt om zich heen. Fae ook. Dan ziet ze het pas: op het terras zit een mevrouw. Dezelfde als in het politiebureau.

'Ze komt voor jou,' zegt Pamela. 'Om je te helpen.'

Fae ziet haar, slaat het beeld op, maar reageert niet. Het is net alsof er een scherm tussen haar en de wereld zit. Ze kan zien en horen en voelen en ruiken, maar de betekenis van de dingen dringt niet door de wand heen.

'Ik zie geen kleuren meer,' zegt Pam. Ze kijkt naar het gras en wijst ernaar. 'Dit moet toch groen zijn? Het is grijs, de lucht is grijs, de bomen, alles is grijs.'

Ineens valt de voordeur met een klap in het slot. Door het huis schalt de stem van Kick. Met veel kabaal komt hij de

132

kamer in en loopt direct door naar de tuin. Zijn vriendje Peter loopt mee.

'Zo vet!' roept Kick. 'We komen in de krant!'

Zonder een reactie van zijn moeder en zus af te wachten, vertelt Kick verder, terwijl zijn vriendje glunderend meeluistert.

'We waren bij de brug en staken een waxinelichtje aan. Toen kwam er een fotograaf die ons vroeg om nog een lichtje aan te steken. Hij heeft er een foto van gemaakt en we hebben er heel ernstig bij gekeken. Dat hoort als iemand dood is. En nu komen we in de krant!'

Zodra hij is uitverteld, draait hij zich om en loopt het huis weer in.

'Waar gaan jullie naartoe?' roept Pamela de kinderen achterna.

'Naar de Oostervijver, daar zit iedereen!'

'Billy ook?'

'Nee!'

De mevrouw van slachtofferhulp is weer weg. Fae heeft niets tegen haar gezegd. Ze zit aan de ronde keukentafel naar haar boterham te staren. Van haar moeder moet ze er een eten. Het mag een witte zijn, met een dikke laag jam, als ze maar eet.

Maar Fae zit vol. Er past zelfs geen lekkere witte boterham met dikke jam bij. Ze proeft er trouwens toch niets van.

Hoe kon het gebeuren? Ze hadden in het gras gezeten, Muis had zijn armen om haar heen geslagen. Gekke Muis, die haar altijd maar wilde knuffelen. Zijn hoofd in het kuiltje van haar hals. 'Doe niet zo debiel!' had ze bijna geroepen. Als ze had geweten dat het de laatste knuffel was, was ze veel liever tegen hem geweest. Dan had ze zijn hoofd vastgepakt en hem gekust. Maar wie wist dat nou? Zoiets kon ze toch niet weten?

Plotseling kijkt Fae recht voor zich uit, het stukje brood dat ze net in haar mond wilde stoppen, blijft hangen in het niets.

'Als ik doodga, wil ik bij opa liggen.'

Hoe kwam hij daarbij? Wist hij dat hij dood zou gaan? Het ging toch per ongeluk? Hij stond daar, ze hadden lol. Het was warm. De zon scheen. Het was echt een onbezorgde dag. Iedereen was vrolijk. Muis ook. Hij stond daar, ze spuugden naar beneden, het bootje was weg, hij draaide zich om, gewoon even omdraaien, hij stapte mis. Hij viel, hij viel gewoon naar beneden.

Ineens grist Pamela haar sleutels van de tafel. 'Ik ga Billy zoeken,' zegt ze. 'Hij is al uren weg. Hij is niet bij Moenja, niet bij de groep, nergens. Hij zei dat hij naar Muis ging, dat zei hij vanochtend. Hij is nog steeds niet terug...'

Nu pas dringt het tot haar door dat de tranen over het gezicht van haar dochter stromen. Ze loopt naar haar toe en legt haar hoofd tegen zich aan.

'O Fae,' zegt ze. 'O Fae, Fae toch. Wat moet ik? Jou hier alleen laten, of naar Billy die maar niet terugkomt. Waar is die jongen?'

Fae voelt de warme hand van haar moeder over haar verwarde haren. Pamela pakt Faes gezicht met een hand vast en met de andere veegt ze haar wangen droog. 'Fae, mijn meisje. Ik moet naar Billy, ik vertrouw het niet.'

'Waar is papa?' vraagt Fae.

'Boodschappen doen in Hilversum, daar zijn de winkels open. Hamburgers halen en frisdrank. Het vliegt erdoorheen deze dagen. Het kan best dat er vanavond weer veertig man zit, dan wil ik wel wat in huis hebben.'

Pamela fietst door het dorp. Bij Moenja was Billy niet, daarover had ze gebeld. Bij de Oostervijver is hij ook niet, daar waren geen kinderen meer.

'Ik ga naar Muis,' zei hij. Moenja was vanochtend nog bij Muis in het rouwcentrum, maar ze heeft hem niet gezien. Akelig idee toch, dat Muisie daar maar dood in die kamer ligt, te wachten totdat hij begraven wordt.

Plotseling trekt ze aan haar stuur, zodat ze bijna tegen de stoeprand rijdt.

'Ik ga naar Muis.' Hij zou toch niet bedoelen dat hij...?

Nee, dat mag niet, niet nóg een kind dood. Niet Billy. Waar kan hij zijn?

Ze moet zijn vrienden bellen, op hun mobiel. Maar ze weet die nummers niet, heeft ze nooit nodig gehad. Alle vrienden kwamen gewoon aanwaaien als ze er zin in hadden.

En nu, waar is Billy? Bij de brug?

Pam voelt haar hart bonken als ze het dorp uit fietst en langs de rivier naar de brug rijdt.

Daar, onder aan de brug, bij het water, zitten tientallen kinderen. Verspreid in het gras staan brandende waxinelichtjes.

Pam legt haar fiets neer en loopt naar de kinderen. Sommigen zijn stil, anderen huilen, of praten. Ze kijken haar aan, zeggen haar gedag. Iedereen kent Muis, iedereen kent Billy.

'Hebben jullie Billy gezien?'

De kinderen schudden hun hoofd.

136

Pam loopt door, naar het volgende groepje. 'Hebben jullie Billy gezien?'

Ze hebben hem niet gezien. Ja, vanochtend vroeg even op de fiets. Daarna niet meer.

Ze ziet Kick bij een groepje zitten, hij is samen met zijn vriendje de jongste van allemaal.

'Je moet naar huis,' zegt ze. 'Wat doe je hier?' Maar ze laat hem zitten en loopt verder, naar de brug waar jongens met spuitbussen teksten op de muur spuiten.

Muis, love you 4 ever, leest ze. Muis, waarom jij?

'Hebben jullie Billy gezien?'

'Nee, Pam, gecondoleerd.'

'Ja, bedankt.' Ze loopt onder de brug door. Boven haar hoofd denderen de auto's over de snelweg.

Als het paadje ophoudt, draait ze zich om en komt weer terug, langs de betonnen pijlers waar de brug op rust.

Ze komt weer op het gras, kijkt naar de overkant van de rivier. Ook daar zijn kinderen. Ze klautert het talud op, op handen en voeten, loopt over de brug, langs de plek. Daar stonden ze, daar viel hij. Ze stikt zowat, maar kijkt toch naar beneden. Zou Billy? Hij zal toch niet? Nee, alsjeblieft niet. Ze gaat naar de andere kant van de brug. Ook daar zit het vol met vrienden en bekenden van Muis.

Maar Billy is er niet bij, en hij is er de hele dag ook niet geweest.

Pam loopt terug naar haar fiets. Billy, Billy waar zit je? Waar kan hij zijn?

Ze fietst het dorp weer in. Misschien is hij in het Rozenparkje.

Ook niet.

Wanhopig rijdt ze door. Dat joch. En Fae zit thuis. Pam moet bij de kinderen zijn, maar rijdt nu als een idioot door het dorp. Ze fietst, straat in, straat uit, langs de Speeldoos, langs de oude melkman, de Albert Heijn. Het kan haar niet meer schelen, ze roept gewoon door de straten, zoals ze vroeger de kinderen zocht, toen ze zich verstopten als ze binnen moesten komen om te eten.

'Billyyyy! Biiiilly!'

Ze rijdt tegen het verkeer van de winkelstraat in, roepend. Mensen staan stil en kijken haar na. Sommigen willen wat zeggen, maar Pam merkt ze niet eens op. Iedereen in het dorp kent Muis, de kleine vrolijke deugniet die met jong en oud een praatje maakt. En als ze hem niet persoonlijk kennen, dan kent hun kind hem wel, of de buurman, of een neefje.

'Billy!' Ze komt bij de Brink, rijdt de Bosstraat in, langs de Pekingtuin, zou hij daar zitten? Ze gaat er niet kijken, maar rijdt verder. De Oosterstraat in, het kruispunt over, tot aan de vijver, daar rechtsaf, linksaf, naar de Bark.

Het rouwcentrum ligt iets van de weg af, een dik grindpad markeert de toegang. Ze rijdt door het openstaande hek, legt haar fiets in het grind en loopt naar de trap.

Daar zit hij, als een klein jongetje dat voor het eerst naar de kleuterschool gaat.

Ze loopt de trap op, gaat naast hem zitten.

'Billy,' fluistert ze. 'Hoe lang zit je hier al?'

'Heel lang,' antwoordt Billy met een hoog stemmetje.

'Ben je bij Muis geweest?'

Billy schudt zijn hoofd. 'De deur was dicht en ik durfde niet naar Moenja te gaan om te vragen of ik bij hem mocht zijn.'

'Dus je zit hier al uren op de trap te wachten tot er iemand komt?'

Billy knikt en kijkt zijn moeder aan. Vreemde, wazige ogen, zo vol verdriet dat Pam er niet lang naar kan kijken.

Hoe kan ze haar twee kinderen ooit helpen. Hoe moeten haar kinderen ooit over dit verdriet heen komen?

Daar gaan haar tranen. Tegenhouden is zinloos.

De wekker gaat om zeven uur. Heel even, terwijl ze een arm onder het laken uitsteekt en de wekker op zijn kop slaat, denkt Fae aan niets. Ze blijft op haar rug liggen en pakt het dekbed met twee handen vast.

Dan verschijnen de ogen van Muis weer, grote bange ogen vol vertrouwen. Op een handlengte van haar gezicht vandaan, valt hij naar beneden. En hoe ze hem ook probeert te pakken, hoe ze ook, in gedachten, met haar handen naar hem grijpt, hij valt en valt.

Fae schopt het dekbed naar het voeteneinde en staat op, het bed van haar moeder is leeg. Ze gaat onder de douche staan en laat de stralen over haar blote lijf stromen. Maar de dikke, verdrietige deken die nog steeds om haar heen is gevouwen, krijgt ze maar niet van zich afgespoeld.

Beneden in de kamer liggen nog steeds slaapzakken. En nog steeds is Muis dood. Al drie dagen geen Muis in huis, al drie dagen geen lol, geen wervelstorm die even door de kamer raast, geen broodje gesmolten kaas.

Haar moeder gaat naast haar zitten op het bankje bij de ronde keukentafel en wrijft over haar rug.

'Je hoeft niet te gaan,' zegt ze. 'Ik kan afbellen.'

Fae schudt haar hoofd. De baas van de supermarkt verwacht haar. Het is al maanden geleden afgesproken. Vandaag zal haar eerste dag in de winkel zijn en mag ze direct al achter de kassa.

Traag stopt ze een stukje witbrood met jam in haar mond. Na een kwartier heeft ze de boterham nog niet op en laat ze de rest staan. Ze moet gaan.

Buiten, op het pad in de voortuin staan de kranten voor Billy opgestapeld.

Voorzichtig duwt ze haar fiets erlangs. Nog nooit hebben de kranten zo lang in de voortuin gestaan.

Stipt om acht uur staat ze, met nog een paar meiden die ze niet kent, voor de dichte deur van de supermarkt. Van achter uit de winkel komt de baas aangelopen, ondertussen doet hij de lichten aan en schuift een verrijdbare stelling recht.

'Heb je het gehoord van die jongen?' hoort Fae een van de vaste personeelsleden zeggen.

'Die eh, die kleine, Muis?' vraagt een ander.

'Muis?'

'Ja, Muis.'

'Hij is dood.'

'Dood? Hoe dan?'

'Van de brug gelazerd.'

'Verkeerd gedoken.'

'Niet waar,' wil Fae zeggen, maar ze zegt niets.

'Hij was over de reling gesprongen, die idioot.'

Niet!

'Ja, het was altijd al een brokkenpiloot.'

'Lullig voor Billy, daarom werkte hij zeker niet, afgelopen zaterdag.'

'Was hij erbij?'

'Ja.'

'Nee,' zegt een ander meisje.

'Hij heeft nog wel gedoken.'

Niet waar.

'Toch raar dat ze zo'n jongen niet kunnen vinden. Ik vind het een vreemd verhaal.'

'Nou ja, er is nu niets meer aan te doen.'

De baas draait aan de bovenkant van de deur een sleutel om.

Fae houdt met twee handen haar tas stevig vast. Ze staat tussen zeven meisjes in, sommige van net vijftien jaar, maar de meeste zijn ouder. Fae zucht en zucht. Er draaien sterren voor haar ogen, ze schitteren en glinsteren alle kanten op.

De anderen gaan naar binnen. Fae blijft wachten, omklemt haar tas nog steviger.

'Dag, Fae. Fae, was het toch?' zegt de man in een lichte jas.

Fae knikt, maar blijft staan.

'Je mag binnenkomen,' zegt hij vriendelijk.

Ze loopt achter meneer Van Houten aan, langs de luiers en de rollen wc-papier, naar het personeelshok achter in de winkel. Daar hebben de meisjes hun tassen op de tafel gelegd. Ze kijken naar iets wat op de tafel ligt. Het is een krant, het grootste landelijke ochtendblad. De meisjes buigen zich over een foto.

'Helft van een tweeling,' leest er een hardop.

'Van de brug af gedoken,' leest de ander.

Een van de vaste winkelmeisjes gaat rechtop staan en draait zich naar meneer Van Houten toe.

'Ziet u het? Muis is dood, de vriend van Billy. Lullig hè, voor Billy. Werkte hij daarom niet, zaterdag?'

'Ja,' antwoordt meneer Van Houten.

'Hij is op een boot gedoken,' zegt iemand anders.

'Ik denk dat ie gewoon stoned was, dat joch blowde heel veel.'

142

'Er waren kinderen bij, ze hebben met gevaar voor eigen leven naar hem gedoken.'

Fae blijft bij de tafel staan. De meisjes vormen een kring om haar heen. Ze praten over haar, over Muis, over vrijdag, over de brug.

Ze zucht, ze zucht heel diep.

Terwijl de meisjes hun schorten aantrekken praten ze door over Muis.

Niemand let op Fae, niemand hoort haar zuchten.

Om kwart over acht staan alle meisjes klaar om de schappen te vullen met nieuwe voorraad.

'Nou ja,' giechelt een van de meisjes. 'Het zal ons in ieder geval geld schelen.'

'Hoezo?' vraagt iemand anders.

'Die jongen pikte als de raven. Ik kon hem nooit op heterdaad betrappen, maar volgens mij jatte hij snoep en sigaretten.'

Lachend lopen de meisjes de winkel in.

Faes buik is samengetrokken tot een grote bal.

'Kijk, deze sleutel krijg jij, daarmee activeer je de kassa,' zegt meneer Van Houten als hij met Fae bij de kassa staat. 'Dit is je toegangscode, aan niemand laten zien.'

Bij de luiers staan twee meisjes de grote pakken van de kar in het vak te stapelen.

'Ja erg hè, voor zijn moeder,' zegt de een.

'En voor zijn tweelingbroer.'

'Was die erbij?'

'Ja.'

Nee, denkt Fae en ze wil Muis pakken.

'Als je fruit scant, bijvoorbeeld appels, moet je weten wat voor soort het is. Dan kijk je op deze kaart, daar staan de codes van het fruit op. De scanner weegt het fruit ook.'

Zijn ogen, zijn grote bange ogen. Hij staat daar op die richel, hij draait zich om en grijpt de reling. Mis.

'Dit is knop voor het subtotaal. Met een klantenkaart...'

Fae zucht heel diep, en nog dieper. Voor haar ogen wordt het zwart. Nog een keer grijpt ze de arm van Muis, maar alles begint te tollen. Ze moet iets vastpakken, haar handen maaien in de lucht, ze heeft iets vast. Langzaam zakt ze door haar knieën en valt haar hoofd in haar nek. In de verte hoort ze iets, alsof er een stuk stof scheurt.

Het is hard op de grond. Ze krijgt geen adem meer. Ze gaat ook dood. Maar ze zegt niets. Ze wil wel roepen, maar er komt geen geluid. Ze probeert te zuchten, maar het lijkt alsof ze nog minder lucht krijgt.

Er wordt iets over haar mond gelegd.

'Adem in,' hoort ze iemand zeggen. 'Adem uit.'

Er zit een vies plastic zakje om haar mond. Welke gek heeft dat eromheen gelegd?

'Adem in, adem uit.'

Nou ja, ze doet het maar. Adem in, adem uit. Ze zucht en zucht, tot haar adem weer wat normaler wordt, ze niet meer het gevoel heeft dat ze dood gaat en ze rustig overeind mag komen. Met haar benen voor haar uit zit ze in het gangetje achter de kassa. Meneer Van Houten staat bij haar met een telefoon in zijn hand.

'Je wordt straks opgehaald door je moeder,' zegt hij.

'Waarom?'

'Dat leek me beter.'

'U heeft een scheur in uw jas.'

Meneer Van Houten schiet in de lach. 'Dat heb jij gedaan.'

Fae staart naar de voorkant van haar gympen. 'Maar meneer,' zegt ze na een tijdje. 'Dat kan toch niet?'

'Wat niet?'
'Nu heeft u niemand voor de kassa.'

Fae zit in de auto naast haar moeder. Ze staart voor zich uit naar het asfalt op de weg. Nu heeft ze alweer gefaald.

Eerst Muis. Dat is het ergst. Maar een vakantiebaantje kan ze ook al niet.

'Mam,' zegt ze, als ze bijna thuis zijn. 'Ze praatten allemaal over Muis. Er klopte niets van.'

Vandaag gaat de kist dicht. Muis ligt er nog steeds in. De blauwe plekken op zijn hoofd zijn minder geworden, hoewel het ook kan zijn dat Fae eraan gewend is en ze haar minder opvallen.

Om zijn hals hangt een kettinkje met een gouden hartje. Soms flikkert het even in een verdwaalde zonnestraal die door het raam valt.

Moenja, Patrique, Billy en Fae staan om de kist. Het is koud in de kamer, terwijl buiten de zon nog steeds volop schijnt. Met kippenvel op haar armen en benen kijkt Fae naar Muis. Hij draagt een trainingsbroek en een hemd, zodat zijn spierballen goed te zien zijn. Moenja en Billy hebben Muis aangekleed, met de kleren die Billy had uitgekozen. Patrique was er niet bij. Hij wilde Muis liever niet meer aanraken.

Moenja loopt om de kist heen en pakt een kam uit haar tas. 'Zijn haar zit toch nog niet goed,' zegt ze. 'De scheiding moet aan de andere kant.'

Ze gaat op haar tenen staan, buigt zich over de kist en probeert de haren van Muis te kammen.

'Ik kom er niet doorheen,' zucht ze. 'Wat heb je ermee gedaan, Billy?'

'Gel,' antwoordt hij. 'Zoals altijd, Muis wil veel gel.'

Patrique staat aan het voeteneinde van de kist. Hij zegt niets, helemaal niets. Fae staat naast hem. Straks komen de

146

anderen, voor de laatste keer. Straks gaat de kist dicht, dan is Muis echt weg, helemaal weg.

En toch kijkt ze nog een keer.

Dit is de laatste kans, voordat hij begraven wordt.

Is hij echt dood? Is er niet ergens een zuchtje adem?

Ze schaamt zich rot voor deze idiote gedachte. Maar stel je voor dat het wel zo is? Ze heeft het wel eens gelezen dat er iemand levend begraven was. De tuinman van de begraafplaats hoorde iets tikken. Het was die levende man in de kist.

Maar Muis is hartstikke dood. Anders was hij al duizend keer opgesprongen, en in lachen uitgebarsten, had hij vast al tien keer een meisje dat kwam kijken, proberen te zoenen, had hij al twintig sigaretten gerookt.

Nog steeds is Muis dood.

Billy staat bij het hoofd van zijn vriend. Hij huilt niet, hij praat niet, hij is ijzig stil. Het is net alsof hij doorzichtig is geworden. Faes grote, vrolijke, ondeugende broer, er is niets meer van over.

En dat komt allemaal door haar. Fae heeft precies het verkeerde gedaan.

Zal ze het vragen, nu ze hier met elkaar zijn? 'Nemen jullie het me kwalijk?'

'Ja,' zullen ze alle drie zeggen. 'Ja natuurlijk, idioot. Door jou zijn we mijn zoon, mijn broer, mijn vriend kwijt.'

Fae zucht en zucht. Sinds gisteren weet ze wat ze moet doen als ze het benauwd krijgt. Uit haar broekzak pakt ze een plastic zakje, legt het om haar mond, ademt uit en ademt dezelfde lucht weer in. Langzaam uit en in, totdat er weer voldoende ruimte in haar hoofd komt.

Er wordt geklopt en er komen vijf witte mannen binnen. Mo, Jason, Trúc, Charley en Rafael, allemaal in een stralend wit pak. Jason, de donkere, gespierde jongen zonder tand, Mo, de kleine mooie Turk, Trúc, de nog kleinere Chinees, Charley, de lachende grote neger die het laatste jaar boven iedereen uit is gegroeid en Rafael met zijn kale kop.

Voetje voor voetje lopen ze door de openstaande deur en blijven zwijgend bij de muur staan. Pas op de uitnodiging van Moenja lopen ze naar de kist. De jongens schrikken zichtbaar. Ze zijn stil, alle vijf de stoere jongens zijn muisstil. Ze kijken naar hun vriend die er zo roerloos bij ligt. Trúc moet op zijn tenen gaat staan om over de rand van de kist te kunnen kijken.

Moenja gaat tussen de jongens staan. 'Raak hem maar aan,' zegt ze zacht. Maar niemand doet dat.

Na een tijdje zucht Jason. 'Nu is het echt waar,' fluistert hij met ogen vol tranen.

'Ik hoopte zo ontzettend dat het niet waar zou zijn, dat hij toch weer zou gaan leven, of terugkomen, of opduiken uit het water, zo gek was hij wel. Maar nu niet meer.'

Charley snuift. Uit zijn broekzak haalt hij een witte zakdoek en een oude mp3-speler. Met de zakdoek dept hij zijn ogen, terwijl hij de mp3-speler onhandig in zijn hand houdt.

'Is die voor Muis?' vraagt Moenja. 'Leg hem er maar bij.'

Charley zoekt in de kist naar een geschikte plek voor zijn cadeau. Vragend kijkt hij Moenja aan als hij de mp3-speler bij zijn hoofd wil leggen. Ze knikt. Hij legt de mp3 neer. 'Hiphop, jongen.' Even grinnikt Charley. 'Kan je nog swingen.' Hij schrikt van zijn ongepaste grap, maar Moenja knikt hem bemoedigend toe.

De andere jongens hebben ook iets uit hun zak gehaald. Rafael legt een vlindermes bij zijn broekzak, en Trúc geeft hem een Chinese bloem, een zijden magnoliatak. 'De boom van de hoop,' fluistert hij, als hij op zijn tenen staat en de bloem op Muis' buik legt.

Jason geeft hem een kleine boksbal, en een pakje sigaretten van zijn opa uit Bali. 'Kan je nog een beetje paffen,' zegt hij.

'Nee hoor, hij is gestopt met roken.'

Dat zegt Mo. Hij schrikt ervan. Maar ze moeten lachen. Een baldadige, bevrijdende lach. Jason lacht zich de tranen in de ogen. Maar zijn lach gaat over in huilen.

Even later huilt iedereen, Moenja, Billy, Fae en alle vrienden. Behalve Patrique. Hij staat erbij en kijkt om zich heen.

'Sorry,' zegt hij. 'Mijn tranen zijn op.'

Het rouwcentrum stroomt vol. Fae kijkt naar alle mensen die de zaal in lopen. Zij zit vooraan, naast Billy, hun ouders, Moenja en Patrique. Gonneke zit bij haar ouders, aan de overkant van het gangpad. Na vrijdag heeft Fae Gonneke nog wel gezien, maar ze wisten niet goed wat ze tegen elkaar moesten zeggen.

Straks begint de begrafenis. Fae voelt zich zo raar. Ze is verdrietig, bang, wanhopig, ze voelt zich schuldig, alles tegelijk, het is zoveel, dat ze zich leeg voelt. Nee, dat is het niet, ze voelt niets. Ze kijkt naar de mensen die binnenkomen. Ze gaan op de stoelen zitten, maar als die allemaal bezet zijn, klimmen ze in de vensterbanken, blijven achterin staan, gaan op het podium zitten. Er kunnen geen mensen meer in de ruimte, en veel mensen gaan buiten voor de ramen staan. Honderden kinderen, honderden ouders, allemaal voor Muis, allemaal met een witte bloem.

Faes hart bonkt. Ze draait zich terug. Voor haar, in het pad tussen het podium en de eerste rij, huppelt Parel een paar stappen vooruit en weer een paar stappen terug.

En dan wordt het langzaam stil.

Het geroezemoes houdt op en er komt een muziekje uit de boxen, Faes hart lijkt wel uit haar lijf te willen springen. Ze kijkt strak voor zich uit, naar het podium, dat ook al vol staat. Naast haar zit Billy voorovergebogen met zijn ellebogen op zijn bovenbenen geleund. Hij staart naar de grond.

Fae voelt een arm van haar moeder om zich heen. Ze wil

een hand op Billy's knie leggen, maar zijn elleboog staat daar al op.

Vanachter uit de zaal komt de kist, gedragen door zes mannen in het zwart. Stap voor stap komen ze dichterbij, tot vlak voor het podium. Daar pakken ze de kist over en laten hem rustig op een standaard zakken.

In die kist ligt Muis.

En plotseling valt hij en grijpt ze hem. Plotseling gaat het goed. Is hij niet dood, valt hij niet, staat hij tien centimeter verder, zitten ze nog in het gras te snoepen, legt hij zijn hoofd in het kuiltje van haar nek.

Fae zucht en zucht. Er komen weer sterren voor haar ogen, ze moet een plastic zakje hebben, ze graait in haar broekzak, er zit niets in, in de andere broekzak, ook niets. Ze zucht en zucht en iedereen is stil, de muziek houdt op, ze zucht, ze gaat dood.

Er komt iemand het podium op, een leraar van zijn school.

Adem in, adem uit. Er is geen zakje, ze gaat dood!

De man zegt wat.

Fae pakt de arm van haar moeder en kijkt haar angstig aan. Pamela weet wat ze bedoelt, ze pakt haar tas en zoekt naar een plastic zakje. Snel legt Fae het voor haar mond. Adem uit en adem dezelfde lucht weer in.

'Een boef,' hoort ze de man zeggen. 'Ik weet nog goed, het kamp van de brugklas.'

Waar heeft die man het over? Hij zegt van alles, wat kletst die man? Adem uit, adem in. Naast haar zit Billy nog steeds voorovergebogen met zijn armen op zijn knieën geleund. Zijn tranen vallen gewoon op de grond. Al dagenlang zit hij in zichzelf gekeerd voor zich uit te staren. Weg is haar vrolijke broer vol geintjes en plezier. Weg is de grote mond die hij de laatste tijd zo goed tegen zijn vader kon opzetten. Hij is niet meer brutaal, niet meer chagrijnig, plaagt zijn broertje niet meer, lacht niet, praat niet.

De man is klaar, hij vouwt een briefje dubbel, stopt het in zijn kontzak en loopt het podium af.

Dan staat Patrique op. Hij krijgt een kneepje in zijn hand van Moenja en loopt naar het trappetje. Met drie treden is hij op het podium.

Fae houdt haar adem in. Patrique gaat iets zeggen. Dat hij dat durft! Dat zou zij nooit kunnen.

Haar vriend gaat achter de microfoon staan. Hij pakt geen briefje uit zijn broekzak, vouwt het niet open en legt het niet voor zich neer. Hij staat er in zijn eentje, een mooie donkere jongen in een zwart pak. Voor het eerst draagt hij een echt pak. Het staat hem goed.

Patrique kijkt de zaal in, en dan naar de kist.

Het is dood- en doodstil in de zaal als hij zijn mond opendoet.

'Muis,' zegt hij, en stopt met praten. Hij slikt, bijt op zijn lip, beweegt zijn hoofd een paar keer en slikt nog een keer.

'Muis,' zegt hij dan. 'Ik ben geen tweeling meer.'

Misschien had hij meer willen zeggen, maar dat doet hij niet. Hij blijft staan en langzaam vullen zijn ogen zich met tranen.

'Muis, ik hou van je,' zegt hij zacht en loopt snel het podium af.

En in de kist ligt Muis. Hij is overal bij, maar heeft niets in de gaten.

De mensen staan op. Heeft Fae iets gemist? Was er iemand die zei wat ze moesten doen? Ze doet het ook maar en blijft voor haar stoel staan, zoals iedereen voor zijn stoel blijft staan. Blijkbaar moeten ze gaan lopen, de mensen kijken naar het gangpad, maar er komt geen beweging in de massa.

Ergens huilt iemand heel erg hard, met lange halen. Fae herkent de stem, het is Gonneke.

Zodra het kan, loopt Fae langs de voorste rij naar Gonneke toe en gaat naast haar staan. Als ze even opkijkt, ziet Fae een gezicht vol paarse oogschaduw en zwarte mascara boven een onophoudelijk schokkend lijf.

Ze hoort haar naam roepen. Ze kijkt om zich heen en ziet de jongens bij de kist staan. O god! Ze zou de kist dragen! Samen met Patrique, Billy, Charley, Mo en Trúc. Ze staan op haar te wachten. Hoe lang al? Hoe lang stond ze hier met Gonneke te janken? Ze weet het niet, maar ze heeft het weer fout gedaan, terwijl ze zich zo had voorgenomen om vandaag alles goed te doen.

Met een knalrood hoofd loopt ze tussen de mensen door naar de kist, gaat tussen Billy en Charley in staan, pakt de kist bij een handvat en op het commando van een man met een zwarte hoge hoed, tillen de zes vrienden tegelijkertijd de kist op hun schouder.

Op het moment dat ze allemaal één stap hebben gezet, zingt er een hoge vrouwenstem: 'Killing me softly.'

Het komt van de cd.

De cd die Fae van Muis kreeg.

Die hij had gejat bij de Bruna.

'Killing me softly.'

Door de tranen kan Fae niet zien waar ze loopt. Met Muis op haar schouders zet ze voorzichtig haar ene voet voor de andere.

Billy staat bij het graf. De begraafplaats staat vol met mensen. Zelfs op de paden en op straat is het volgepakt met vrienden. Iedereen probeert een glimp op te vangen van wat er zich bij het graf afspeelt.

Samen met zijn vader heeft Billy bedacht wat hij kon doen op het afscheid van zijn vriend. Zijn vader geeft hem nu de mand.

Billy gaat op zijn knieën naast de kist zitten. Hij lijkt zich niet bewust van de mensen. Geconcentreerd peutert hij het slotje van de mand open.

Fae weet wat erin zit. Ze ziet zijn trillende handen. Zijn gebogen, vermoeide rug.

De rieten mand gaat open, even lijken de witte duiven verblind door het licht, dan slaan ze hun vleugels uit en vliegen ze weg, nagekeken door honderden mensen.

Als de zwart geklede mannen de kist in de grond laten zakken, ziet Fae ineens Muis eruit springen. Hij staat op de brug, hij draait zich om en stapt goed! Er is niets aan de hand. Ze pakt hem vast. Zij redt hem!

'Hou op!' wil ze uitroepen. 'Het hoeft niet. Laat Muis niet zakken!'

De mannen gaan onverstoorbaar door.

Hij ligt nu op de bodem. Moenja pakt bloemen uit een mandje en gooit ze naar beneden, boven op haar zoon.

Maar Fae pakt zijn hand. Ze heeft hem. Houdt hem vast. Ze houdt hem vast. Niets aan de hand!

Haar keel zit alweer dicht. Verstikt pakt ze ook een paar bloemen, maar ze laat ze weer los.

Zonder in het gat te kijken, zonder er bloemen op te gooien, loopt ze weg.

Iemand slaat een arm om haar heen. Het is haar moeder. Tegen de stroom van mensen die nog naar het graf moeten in, lopen ze samen terug, over het dikke knerpende grind, de begraafplaats af. Waar Billy is, waar Moenja is, Patrique, Kick, Gonneke, Jason, ze weet het niet. Zonder iets te zien loopt ze door het dorp, op weg naar een groot restaurant.

Als ze daar aankomen, moet ze in een rij gaan staan. Een rij met Moenja, Parel, die steeds wegloopt, Patrique, Billy. Er komen mensen langs die hun een hand geven.

De rouwstoet is zo lang, dat de staart ervan nog steeds bij de begraafplaats is. Door het dorp loopt een lange sliert vrienden. Allemaal op weg naar een biertje in het restaurant.

Maar eerst moeten er handen geschud worden.

Zoveel handen, zo ontzettend veel tranen.

Fae is moe. Doodmoe.

Zonder Muis

De volgende dag is Muis nog steeds niet terug.

Na een week nog niet.

Er is niets te doen in Baarn. Niets te beleven. Zonder Muis is alles saai.

Alleen Charley is jarig, hij wordt vijftien jaar.

Iedereen is er, iedereen feliciteert hem, iedereen eet taart en drinkt een biertje of cola.

En iedereen praat alleen maar over Muis.

En om de beurt gaat iedereen weer janken.

'Nou,' zegt Charley. 'Dit is de sipste verjaardag die ik ooit heb gehad.'

Op de terugweg, in de late avondschemering komt Fae Prissila tegen bij het Rozenparkje. Ze zit op een bankje, onder een lantaarnpaal, een sigaret te roken en wordt knalrood als Fae voorbij fietst.

'Hai,' zegt Prissila.

'Hai.'

Fae rijdt verder. De hele week heeft ze Prissila niet gezien. Ook niet op de begrafenis. Zou ze het wel weten van Muis? Moet Fae naar haar toe gaan?

Lang hoeft ze er niet over na te denken. Prissila is al opgesprongen en achter haar aan gerend.

Fae blijft staan, met de fiets tussen haar benen, klaar om weer weg te rijden. Prissila staat bij haar, plukt aan een bloemenkransje dat om haar stuur is gevlochten.

'Is het echt waar?' vraagt ze met een rare slisstem.

Wat? wil Fae vragen, om het antwoord nog even uit te stellen.

'Ik zat in Amerika, bij Johnny, je weet wel, die twee jaar geleden naar Amerika is verhuisd. We zaten te barbecueën. Het was mooi weer, en heel gezellig. Ik prikte net met een lange pen een kippenpootje van het vuur, toen de telefoon ging. Mijn vader nam op en werd lijkbleek, terwijl ik met die kippenpoot in mijn hand stond.'

Prissila ratelt door, struikelend over haar eigen woorden.

In het kuiltje van haar kin draagt ze een zilveren knopje, en nu ziet Fae dat er ook een in haar tong zit. Dat zal de reden zijn waarom ze slist.

'De begrafenis is al geweest hè?'

Fae knikt en Prissila zucht.

'Ja weet je,' zegt ze. 'Het klinkt misschien debiel, maar het leek me zo eng, zo'n begrafenis.'

Ze begint hartverscheurend te huilen. 'Ik durf niet,' snikt ze. 'Ik durf niet naar haar toe. Ik fiets nu al bijna een week door haar straat, maar ik durf het niet. Wat moet ik tegen Moenja zeggen? Moet ik aan haar vragen hoe het met haar gaat? Lekker debiele vraag. Kut, natuurlijk, het gaat hartstikke kut. Waarom hij? Waarom Muis?'

Fae voelt zich net een open vat waar elke minuut wat bij komt. Steeds meer ellende. Prissila komt er ook bij, het vat in haar buik raakt voller en voller.

'Is niet erg,' zegt Fae tegen Prissila, bij wie het snot uit haar neus stroomt. 'Is niet erg, dat snappen we.'

Plotseling houdt Prissila op met snikken. Door haar tranen heen kijkt ze Fae aan. 'Maar hoe is het met jou?' vraagt ze. 'Jij was erbij. Dat was erg. Zeker. Toch?' Ze valt stil en gooit haar hoofd in haar nek. 'O!' zegt ze. 'Wat zeg ik nu? Kut natuurlijk, met jou gaat het ook kut.'

'Ja.' Fae trekt aan haar stuur zodat het voorwiel iets omhoog komt. 'Maar ik moest maar eens gaan. Het wordt donker.'

'Ja.'

Net op het moment dat Fae een voet op de trapper zet, geeft Prissila haar een dikke snotkus.

De volgende ochtend loopt Fae door het dorp.

Vlak bij de Brink rijdt Maarith. Zodra zij Fae ziet, draait ze een rondje op haar skates en staat voor Fae stil. Ze is bruin geworden, haar hoge paardenstaart is blonder dan ooit.

'Hallo,' zegt Maarith zacht. Verder zegt ze niets en Fae ook niet. Ze plukt aan het uiteinde van haar losse haren en schopt met de punt van haar gymschoen het zand van een stoeptegel af.

'Is het waar?' vraagt Maarith.

Fae slikt. Alle mensen vragen het aan haar. Omdat zij hem heeft laten verdrinken.

'We kwamen vannacht terug van vakantie. Ik had zo'n zin om iedereen weer te zien. En Muis helemaal,' voegt Maarith er zacht aan toe.

De stoeptegel is allang schoongeveegd, dus begint Fae maar aan de volgende.

'Mijn moeder sloeg de krant open en weet je wat ze zei?'

Vanbinnen houdt Fae haar oren dicht, maar het helpt niet, ze moet het voor de honderdste keer horen.

'Ze zei zomaar: "Moet je horen wie er dood is. Muis." Ik werd verschrikkelijk boos. Het was niet waar. Maar het is wel waar. Toch?'

Ze kijkt Fae aan, glijdt een beetje weg op haar skates, maar schaatst weer snel terug.

'Ik zag tenminste advertenties in de krant staan. Ook van jou. Van jullie allemaal, om de beurt. Billy een eigen advertentie, jij. Kickie ook. Wat is er precies gebeurd?'

Verwachtingsvol kijkt ze Fae aan, die haar schouders ophaalt en aan de volgende steen begint.

'Jij was er toch bij?'

Fae knikt.

'Wat gebeurde er dan?'

'Nou, hij viel.'

'Gewoon?'

'Ja, hij viel.'

'Maar hoe dan?'

Plotseling slaat Fae een hand voor haar mond. 'Ik moet gaan!' roept ze. 'Ik spreek je nog wel.' Fae draait zich om en rent weg, naar haar fiets die achter de Brink tegen het hekje van de kerk staat. Snel steekt ze de sleutel in het slot, pakt haar fiets en sjeest weg.

En nu gaat ze er nooit meer over praten.

Geen woord.

Het is niet gebeurd.

Patrique is jarig, vijftien jaar is hij geworden. Muis zou dus ook jarig zijn. Het is de laatste zaterdag voordat de scholen weer beginnen en iedereen is terug van vakantie. De kleine achtertuin is versierd met gekleurde lampen en tussen de begonia's staan fakkels.

Vrolijk wandelt Fae tussen de mensenmenigte door. Ze heeft een flesje bier in haar handen en hoewel ze nog nooit gedronken heeft, en het bier bitter smaakt, neemt ze toch zo af en toe een slokje. Ook Patrique loopt opgewekt rond, neemt cadeaus in ontvangst, slaat zijn vrienden vrolijk op de schouders en praat over het weer, een nieuwe kroeg in het dorp, de school die weer gaat beginnen en de nieuwe scooter die Rafael heeft gekocht.

In de hoek, onder een kleine parasol, zit Billy. Hij drinkt van zijn bier en rookt de ene sigaret na de andere. Als zijn vrienden hem begroeten, zegt hij 'hoi' en staart weer voor zich uit.

Voortdurend gaat de bel en komen er vrienden door het huis gelopen, de tuin in. Zodra ze Patrique en Moenja zien, lopen ze naar hen toe. Sommigen zijn nu pas terug. Ze geven Patrique een hand en een zachte klap tegen zijn schouder. 'Hé man, gefeliciteerd.' Dan, zachter: 'En gecondoleerd.'

'Bedankt!' roept Patrique vrolijk. 'Neem een biertje!'

Met twee handen probeert Moenja voortdurend haar opkomende tranen weg te wapperen zodra er iemand op haar af komt. 'Zeg maar niets!' roept ze snel. 'Neem wat te drinken!'

Het kleine tuintje staat vol vrienden, mooie, door de zon gebruinde mensen die twee weken geleden allemaal nog zo vrolijk en zonder zorgen waren. Ze staan in groepjes en Fae weet dat ze allemaal over Muis praten, over de avonturen die ze met hem hebben beleefd, over de brug, over zijn val, over de begrafenis.

Fae wil nergens over praten. Ze loopt rond en vraagt wat men wil drinken. Biertje? Cola?

En als iemand informeert hoe het met haar goed, roept ze dat het goed gaat. Ja, het gaat heel goed!

Ook met Patrique gaat het goed. Hij drinkt bier en hij rookt. Heldhaftig slaat hij zich door zijn feest heen.

Maar Fae ziet het wel.

Patrique doet maar wat.

Billy zit daar maar wat. Op vragen die hem gesteld worden, geeft hij korte, bibberige antwoorden.

Moenja wuift voortdurend haar tranen weg, ze holt af en aan met taart en leverworst en bitterballen.

Fae gaat naast Billy zitten. Onder de parasol. Een verjaardagsslinger die losjes over het katoen is gelegd, valt precies in haar schoot.

Ze zit rechtop, terwijl haar broer in elkaar gedoken naar de grond staart. Zal ze het vragen? Zal ze vanavond durven vragen: 'Billy, denk jij dat ik schuldig ben aan de dood van je vriend?'

Twee weken lang heeft hij niet gesproken, tot gisteravond, toen hij tijdens het eten ineens zei: 'Was ik er maar bij geweest. Ik ken Muis zo goed, onze verbondenheid had me naar hem toe getrokken. Als ik erbij was geweest, had Muis nog geleefd.'

Sindsdien heeft Fae niet meer gegeten. Ze heeft ook niet meer geslapen, de hele nacht stond ze weer op de brug, en wel duizend keer pakte ze het anders aan, duizend keer heeft ze hem gered. Maar toen het licht werd, drong het opnieuw tot haar door: Patrique moest vandaag zijn verjaardag zonder zijn tweelingbroer vieren.

Nu zit ze naast Billy. Iedereen praat over Muis. Behalve haar broer, die naar de grond staart.

Fae wrijft in haar handen, schraapt haar keel, neemt een slokje van het bier, slikt het door en opent haar mond. 'Billy?' vraagt ze zacht.

Even kijkt Billy op.

'Mag ik een sigaret?'

Billy gaat iets rechtop zitten. 'Jij?' vraagt hij en kijkt haar even van opzij aan. 'Rook je?'

Fae knikt.

Billy haalt een pakje sigaretten tevoorschijn, biedt zijn zus er een aan en neemt er zelf ook weer een. Hij pakt zijn aansteker. Met een dichtgeknepen oog zuigt Fae aan de sigaret terwijl ze hem in het vuurtje houdt. Kuchend blaast ze de eerste rook uit. Het smaakt smerig.

Lekker belangrijk.

Als het donker is, staat Faes vader in de tuin. In zijn hand houdt hij een grote plastic tas.

'Gaan jullie mee?' vraagt hij en zijn snor lijkt weer iets meer te krullen dan de weken daarvoor. 'Stap op je scooter, op je fiets, bij mij mee in de wagen. We gaan naar de brug.'

Even later zijn ze allemaal onder bij de brug. Fae rilt van de kou, terwijl het niet koud is. Hier, in het gras, lagen zijn spullen. Ze had ze opgeraapt en meegenomen. Waar zijn ze gebleven?

In de donkere nacht staan overal groepjes kinderen. Wie het zijn, kan Fae niet zien, ondanks de sterren aan de heldere hemel.

Haar vader rolt een rode mat uit, vlak langs haar benen.

Fae hoort de kinderen praten, over Muis natuurlijk. Of ze zeggen juist niets en huilen. Het lijkt wel alsof dat nooit ophoudt. Telkens als er iemand begint, huilen de anderen ook, als omgevallen dominostenen.

Maar Fae niet. Ze huilt niet meer. Ze staat in het weiland, daar waar Muis haar omhelsde.

Verderop razen auto's over de snelweg. Daarboven stond ze, daar stonden Dammetje, Gonneke, Jason en Muis.

Hoe ging het precies? Wie wilde er weer naar boven gaan nadat ze in het gras hadden gelegen? Muis, Jason, Dammetje, die ze sindsdien niet meer heeft gezien? En toen gingen ze, Muis als eerste. Nee, Muis achteraan, hij bleef bij Fae plakken. Eerst ging Dammetje, toen Gonneke en Jason, toen Muis en als laatste Fae op haar debiele schoenen.

Stel dat Muis vooraan had gestaan. Een klein stukje verder op de brug.

Fae schrikt op uit haar gedachten door de luide stem van haar vader. Alle mensen moeten achter hem komen staan.

Langzaam loopt iedereen naar haar vader toe. De rode loper over het gras moet vrij liggen.

Fae blijft dicht bij haar moeder.

'Patrique,' zegt Faes vader en kijkt in het donker om zich heen. 'Wil je even bij me komen?'

Uit de donkere menigte loopt iemand naar Sjef toe. Fae slaat een arm om haar moeders middel en haar moeder legt een arm op Faes schouder. Aan de andere kant houdt ze Billy vast.

Weer en weer en nog een keer, elke keer opnieuw, speelt de film zich in haar hoofd af. Waar ze ook is, of ze nu slaapt of klaarwakker is, het gaat maar door, elke keer staat Muis ergens anders, spuugt hij niet naar beneden, pakt zij zijn hand, houdt ze hem vast, ze heeft hem! Het lukt, het lukt!

'Patrique!' zegt Sjef in het donker. 'Op jou, onze kanjer. We feliciteren je. En op Muis. Verdomme Patrique, jongen, dat je nu ineens alleen jarig moet zijn. En op Billy en op Fae en op alle vrienden en iedereen die erbij was. Daar gaat ie!'

Faes vader buigt voorover, er verschijnt een lichtje bij de grond en plotseling begint de rode loper te knallen. Eén, twee, drie... De knallen schieten door het weiland omhoog. Ze knallen harder en sneller. Het gaat maar door. De donkere lucht vol sterren vult zich met stinkende kruitdampen, de knallen volgen elkaar snel op, zonder tussenpauze. Wel duizend, wel honderdduizend, wel duizend duizend.

Dag Muis, daar ga je.

De knallen denderen door Faes hoofd. Door het lawaai denkt ze even niet aan hoe het allemaal is gekomen.

En dan, als de laatste knal is geweest en het geluid in de lucht uitdooft, valt er, hoog aan de hemel, een kleine stralende ster.

Iedereen in het donkere weiland wijst naar boven en denkt hetzelfde: Kijk, Muis.

De nieuwe mentor begint het schooljaar 's avonds in
zijn diepe achtertuin. Met een gezellige barbecue en een
eenvoudige verhandeling over de tweede fase waarin de
leerlingen nu zijn terechtgekomen.

Onder de oude perenboom staat een groepje leerlingen
uit Soest met elkaar te praten en te lachen. Bij een scheef
hangende schommel staat een groepje uit Eemnes, achter
de schuur staan de havo-instromers.

Als het vuur eenmaal heet genoeg is en de leraar de eerste
kippenpoten erop heeft gelegd, roept hij de leerlingen bij
elkaar in een kring. Enthousiast heet hij hen allen welkom.

'Om elkaar te leren kennen, doen we een namenrondje.
Ik stel voor dat ieder zijn of haar naam noemt en iets over
zijn of haar vakantie vertelt. Het liefst iets hilarisch, of zo,
zodat we je naam meteen onthouden. Ik zal met mezelf
beginnen: ik ben Jeroen, tweeëndertig jaar oud en dit is de
tweede school waar ik werk, van de vorige ben ik afgetrapt.'

'Ooo,' zoemt het door de groep. 'Echt waar?'

'Nee hoor, maar ik vond de school een beetje te stijf.
Daarom zit ik nu hier.'

'Alsof deze niet stijf is!' roept een paar meiden.

'Maar, ik zal jullie een primeur vertellen. Ik word vader.'

'Aaah,' verzucht een aantal meisjes.

'Oké, genoeg over mij, de volgende, de buurvrouw aan
mijn linkerzijde. Ga je gang.'

'Ik ben Mariska, ik ben naar Lapland geweest. Het was
te gek. Toen we een wandeling maakten en we ergens

pauzeerden, smeerde mijn moeder boterhammen voor ons, met chocopasta. Plotseling stond er een beer voor ons.'

'Echt waar?! En toen?'

'Toen heeft mijn moeder de pot weggegooid en zijn we als debielen gaan rennen. Dat was het eigenlijk wel.' Triomfantelijk kijkt ze om zich heen.

'Ik ben Bram. Ik ben onwijs verliefd geworden deze vakantie.' Glunderend kijkt de bruinverbrande, grootste bink van de klas de kring rond. 'In Italië. Haar vader is daar landheer of zoiets. Ik ben al een keer teruggegaan en heb er druiven geplukt, die dit seizoen heel vroeg rijp waren.'

'Net als jij,' giechelt een van de meiden uit Soest.

Plotseling springt de leraar overeind. 'De poten!' roept hij en haalt vliegensvlug dertig verbrande kippenpoten van de barbecue.

'Sorry jongens, de volgende dan maar.'

De stemming zit er goed in, iedereen verdringt zich giechelend om de vleestafel en pakt een grote spies met vlees.

'Ik hou mijn eigen spies wel in de gaten,' zegt Bram, waarop hij meteen door een van de meisjes wordt aangesproken: 'Ja schat, hou jij die maar goed in de gaten.'

Als iedereen wat op het vuur heeft gelegd en de rust is weergekeerd, worden de spannende vakantieverhalen vervolgd.

Dan is Patrique aan de beurt. Naast hem zitten Fae, Gonneke, Jason, Rafael en nog een paar vrienden die Patrique al kent vanaf de brugklas.

'Oké, Patrique,' roept een van de meisjes uit Eemnes. 'Hoeveel vriendinnen heb jij gehad deze vakantie?'

Patrique staat op, draait zijn vleesspies om op het vuur en gaat weer zitten. 'Mijn broer is dood.'

Het is op slag stil.

Patrique haalt een pakje sigaretten tevoorschijn, pakt er een uit en steekt hem op.

Fae doet hetzelfde.

Gonneke ook, net als Jason, net als Rafael, net als de andere vrienden. Daarna leggen ze, zonder dat vooraf te hebben afgesproken, een hand op elkaars knie.

Het blijft stil in de achtertuin, totdat de mentor schuchter zegt: 'O, mag dat? Mogen jullie roken op een schoolavond?'

Niemand geeft hem antwoord.

'Ach ja, natuurlijk,' antwoordt hij dan maar zelf, en pakt een pakje sigaretten uit zijn borstzak. 'Dood,' zegt hij, terwijl hij de rook uitblaast. 'Het spijt me, Patrique, ik wist dat niet.'

'Geeft niet,' antwoordt Patrique.

'Je tweelingbroer?' vraagt een van de meisjes uit de klas.

Patrique knikt.

'Goh, kut zeg.'

'Ja, kut. Kut, kut,' gaat het in koor.

Patrique knikt weer.

'Hoe dan?' vraagt een jongen voorzichtig.

'Van de brug gelazerd. Zij waren erbij.' Patrique wijst naar links, waar zijn vrienden zitten.

Jason zegt geen woord. Hij neemt verwoede trekken van zijn sigaret en tikt de as er hardhandig vanaf.

'Was jij erbij Fae?' vraagt iemand uit de kring.

Ze knikt, maar laat geen traan. Dat heeft ze zich voorgenomen.

'Wat gebeurde er dan?'

'Nou, we stonden met zijn allen, en toen hij wilde duiken, verloor hij zijn evenwicht en viel.'

'En toen?'

Toen niets. Toen helemaal niets. Verder moeten ze niet vragen. Meer vertelt ze niet.

Het blijft stil in de kring, de vakantieverhalen zijn onmiddellijk gestopt. De kinderen staren voor zich uit, willen van alles weten, maar durven het niet goed te vragen.

'Hoe gaat het nu met je?' vraagt de mentor vriendelijk.

'Goed,' antwoordt Patrique.

'Nou, als er iets is, kan je altijd bij me terecht.'

'Laten we nou die spiesen maar van het vuur halen, anders verbranden die ook nog,' zegt Patrique en staat snel op.

'Tja,' zegt meneer Van Brokhuizen, als ze allemaal in stilte de spiesen met vlees en paprika hebben gegeten en met een stukje brood de satésaus van hun bord schrapen. 'Wat zal ik doen? Nog iets over de tweede fase vertellen, of zal ik dat maar een andere keer doen?'

'Nou,' zegt Patrique. 'Vertel maar.'

De mentor vertelt. 'Je moet van alles doen, een profielwerkstuk schrijven, SE's maken, en nog veel meer. Dat alles telt mee voor je eindcijfer. En je moet extra dingen doen, daar krijg je punten voor en...'

Fae hoort er niets van, helemaal niets. Zij staat op de brug en Muis draait zich om en pakt de reling. Daarna slingert hij zijn been eroverheen en komt rustig bij de kinderen staan. Niets aan de hand.

Plotseling staat hij weer voor haar, hij pakt de reling en grijpt mis. Maar Fae ziet het! In een fractie van een seconde, grijpt ze hem beet en trekt hem met zijn dunne spartelende benen zomaar over de reling heen.

Het lukt!

Maar het lukt niet.

Fae hoort de voordeur met een harde smak dichtslaan. Even later slaat de keukendeur ook hard dicht. Haar moeder komt boos de keuken in.

'Wat is er met jou aan de hand?' vraagt Fae.

'Niets,' zegt Pamela kortaf. Ze haalt de boodschappen uit de tas, loopt naar de koelkast, bergt de spullen op en loopt weer terug. Boos, zonder iets te zeggen.

'Wel,' zegt Fae, die, leunend tegen de deurpost, haar moeder volgt met haar ogen.

'Nee!'

'Ben je boos?' vraagt Fae na een tijdje.

'Ja.'

'Op mij?'

'Nee, natuurlijk niet.'

'Op Billy?'

'Nee, ook niet. Natuurlijk niet.'

'Kick? Papa.'

'Nee!'

Woedend veegt Pamela met haar arm langs haar voorhoofd.

'Die mensen,' zegt ze.

'Welke mensen?'

'Ach.'

'Mam, doe even normaal, wat is er.'

'Die mensen uit het dorp, ze...' Pamela lijkt van zichzelf te schrikken en breekt abrupt haar zin af. Maar Fae laat het er niet bij zitten.

'Ach, ze kijken me aan en lopen door zonder iets te zeggen.'

Fae zucht. 'Dat zijn debielen, mam.'

Op dat moment gaat de bel. Pamela loopt naar de gang. Vanuit de keuken kan Fae zien wat er gebeurt. Pamela trekt de voordeur open. Op de deurmat staan twee politieagenten. Ze steken meteen van wal. 'Mevrouw, we komen voor uw dochter Fae, we hebben vernomen dat Maurice Pineda-van der Wal mogelijk met opzet van de brug is geduwd. Uw dochter wordt binnenkort op het bureau ontboden voor nader verhoor, tot dat moment geldt zij als mogelijke verdachte.'

Faes mond valt open, haar kaken beginnen te trillen en het bloed trekt weg uit haar gezicht.

'Eruit!' briest Pamela. Ze wijst naar de straat. 'Hoe durven jullie! Hoe durven jullie hier aan de deur te komen op grond van roddels. Praatjes van halvegaren uit het dorp die niet weten waar ze het over hebben. Muis is gevallen. Ja! Doodgewoon gevallen. Wilt u het zien? Willen jullie mijn dochter zien die kapotgaat van verdriet en schuldgevoelens? Die niet kan slapen, niet meer alleen durft te liggen, zich niet kan concentreren, nachtmerries heeft. Is dat niet genoeg? Willen jullie mijn zoon zien, die al weken niet meer praat en alleen maar bibbert. Maakt het wat uit? Ook al is hij ervanaf geduwd. Het zijn kinderen, horen jullie. Kinderen! Hun vriend is dood. Kinderen klieren, zo gaat dat. En ook al was hij geduwd! Hoe durven jullie mijn kind, dat gedoken heeft voor haar leven om haar vriend terug te krijgen, te beschuldigen van iets wat je niet eens zeker weet. Weten jullie wat jullie hadden moeten doen? Het arme kind droge kleren geven, nadat ze een uur in het koude water had gelegen. Drie uur lang heeft mijn kind bij jullie op een houten bankje gezeten in haar natte kleren, met een deken om haar lijf. Was dat niet al erg genoeg? Hoe durven jullie, hoe durven jullie!'

Dan zwijgt ze en draait zich om, alsof ze voelt wat er achter haar gebeurt. Door de deuropening kan ze haar dochter zien staan.

Ze draait zich weer terug naar de twee agenten, en terwijl haar ogen zich vullen met tranen, zegt ze zacht: 'Kijk.'

Dan slaat ze de deur dicht en gaat snel naar Fae.

Fae zit op een grote ouderwetse houten stoel midden in een kamer. Achter haar zitten alle roddelmensen uit het dorp op rode pluchen stoelen zacht met elkaar te smoezen. Voor in de zaal tronen mannen in zwarte pakken met pruiken op statige zetels.

Vanaf de muren staren politieagenten haar doordringend aan.

Het wordt stil in de zaal als de man met de grootste witte pruik het woord tot Fae richt: 'Zo, jongedame, wat heb ik gehoord, u heeft uw vriendje van de brug geduwd?'

'Nee!' zegt Fae.

'Jawel,' sissen de mensen uit het dorp achter haar rug. 'Je hebt hem geduwd, je wilde van hem af.'

'NEE!'

'Zo jongedame, je kan wel hard gillen, maar daarmee bewijs je niet je onschuld.'

'NEE! Ik heb het niet gedaan! Nee, nee!' Wanhopig trekt Fae aan de leuningen van de stoel, die meegeven alsof het zachte lakens zijn.

'Nee! Nee!'

Het is verschrikkelijk heet in de zaal, Fae zweet ervan.

De man met de grote witte pruik op komt langzaam overeind, hij steekt zijn arm uit en wijst met een priemende vinger in haar richting: 'Ik verklaar jou, Fae de Wijs, zolang het tegendeel niet bewezen is, schuldig aan de dood van jouw vriend Muis, het kind van Moenja, de vriend van je broer, de broer van je vriend.'

'Nee!' Fae schiet overeind en kijkt om zich heen. Het is donker in de zaal.

Na een poosje zijn haar ogen aan de duisternis gewend en ziet ze Kickie in zijn bed liggen. Hij slaapt. Haar lieve, vervelende, verwende broertje, dat altijd zo kan drammen om zijn zin te krijgen. Al wekenlang deelt hij zijn slaapkamer met zijn zus, omdat Fae niet alleen op de zolder durft te liggen. En nu ligt ze bij haar broertje op de grond.

Fae wist het zweet van haar voorhoofd, ze moet weg, lopen, opstaan, van die droom af, weg, weg. Ze heeft het niet gedaan. Echt niet.

Vanaf de dag dat de twee agenten aan de deur waren, droomt Fae bijna iedere nacht van rechtszalen en beschuldigende vingers. 'Nee, nee!' gaat het onophoudelijk in haar hoofd.

Ze staat op en loopt naar de overloop. Ze aarzelt. Zal ze het licht aandoen of in het donker blijven wachten? Wat moet ze hier eigenlijk?

Uit de kamer van haar ouders komt gesnurk. Vroeger kon ze erom lachen; haar vader kan overdag goed mensen imiteren en 's nachts verschrikkelijk goed een varken nadoen.

Zal ze naar ze toe gaan? Moet ze haar ouders alweer belasten? Die worden vast ook stapelgek van haar.

Schuifelend loopt ze naar de kamer van Billy. Voorzichtig duwt ze de deurklink naar beneden. Meteen trekt er een flinke tocht langs haar heen. Ze schrikt ervan en blijft staan.

Bij de boekenkast brandt een lampje, het bed is leeg.

Fae loopt naar het open raam en luistert. Er huilt iemand. Ze kijkt naar buiten, maar ziet niets. Toch hoort ze haar broer: 'Muis, ik mis je. Ik heb geen lol meer. Er is geen zak meer aan. Ik lach niet meer. Ik loop geen kranten meer, ik maak geen fikkies meer, ik verdien geen geld meer, ik word nooit meer rijk, ik doe niets meer. Ik zit op een nieuwe school, maar ik ga nooit, ik ben nog geen een keer geweest. Ik ga wel, maar halverwege draai ik om en scheur naar jou toe. Hé Muis, waar ben je? Het is zo donker; fonkel je ergens als een ster? Sorry hoor, dat ik zo debiel tegen je praat. Maar ik mis je zo erg.'

Fae huivert. Sinds de dood van Muis heeft ze haar broer nauwelijks meer horen praten. Nu ligt hij boven haar op het koude platte dak. Ze kijkt om zich heen, vist een trainingsjack uit de stapel kleren en trekt het aan. Dan stapt ze op de vensterbank en klimt omhoog.

Voorzichtig klautert ze over de natte dakpannen, tot bij haar broer.

'Billy,' zegt ze. Maar Billy geeft geen antwoord.

Ze gaat naast hem liggen, op haar rug, gezicht naar de sterren.

'Heb je het niet koud?' vraagt ze na een tijdje. 'Ben je hier vaker?'

Hij knikt.

Ze liggen een tijdje naar de hemel te kijken, terwijl de beschuldigende vinger van de rechter met zijn witte pruik onophoudelijk naar Fae wijst.

'Billy,' vraagt ze na een tijdje. 'Vind jij...? Ben je...? Ik vind het verschrikkelijk erg voor je. Heel heel erg.'

'Ja,' antwoordt Billy. 'Ik ook.'

'Billy.' Even blijft ze stil. 'Sorry. Zo heel erg sorry.'

'Was ik er maar bij geweest,' fluistert Billy. 'Dan had ik het gedaan.'

Fae voelt een brok in haar keel. 'Wat?' vraagt ze, terwijl ze er bijna in stikt.

'Gered.'

'Dus jij vindt...?' Verder komt ze niet.

'Als ik erbij was geweest, had ik hem gered, ik weet het zeker.'

Ze zou nog zoveel willen zeggen, zoveel willen vragen, uitleggen. Maar de woorden zijn alweer op.

Na een tijdje komt Billy overeind. 'Koud,' zegt hij en kruipt achteruit, totdat hij met een voet naar beneden kan bungelen om op de vensterbank te gaan staan.

Als hij binnen is, komt Fae. Ze trekt het trainingsjack uit en loopt naar het bed waar Billy al in ligt.

'Schuif eens op,' zegt ze.

Zonder iets te zeggen, schuift Billy naar de muur, en houdt het dekbed open. Fae kruipt erbij.

Even later slapen ze, Billy met een arm om Fae heen, dicht tegen elkaar aan.

Fae, Patrique, Jason, Gonneke, en nog drie andere klasgenoten zitten in het lokaal van de mentor te wachten op Mark, een jongen uit 6 vwo. Allemaal hebben ze het bètaprofiel gekozen en worden het komende uur voorgelicht door Mark, die na zijn eindexamen iets met techniek gaat studeren.

De mentor zit aan zijn bureau werk na te kijken.

'Zo maf,' zegt Fae ineens. 'Muis was bij me, vannacht.'

Patrique, Jason en Gonneke kijken haar verbaasd aan.

'Ja,' zegt Fae, die haar schouders eens optrekt. 'Gewoon. Helemaal.'

De deur kraakt, en een jongen blijft op de drempel staan. Een beetje verlegen kijkt hij de klas in, ziet de leerlingen achter in de klas zitten en kijkt vragend naar de mentor. Op diens hoofdknik komt hij verder.

Fae heeft hem wel eens gezien in de gangen. Zijn donkere haar was haar opgevallen en zijn mooie mond.

'Kom verder,' zegt meneer Van Brokhuizen. Hij is opgestaan en maakt ruimte op zijn bureau.

De jongen loopt verder het lokaal in, gaat niet achter het bureau zitten, maar blijft bij het middelste tafeltje staan.

'Zo.' De mentor wrijft vergenoegd in zijn handen. 'Dit is dus Mark. Hij heeft hetzelfde profiel als jullie en doet nu eindexamen. Vertel eens, hoe gaat het?'

'Nou.' Mark trekt even zijn linkerschouder op. 'Goed.'

'Moet je veel leren?'

'Nou. Nee.'

Onwillekeurig schiet Fae in de lach. Wat een goed plan van de mentor om uitgerekend deze jongen uit te nodigen voor een voorlichtingspraatje! Zoveel praat hij niet.

'Enne, hoe zit het dan, zo'n laatste jaar? Ga je naar de universiteit, of naar het hbo, met je vwo-diploma op zak?'

Plotseling wordt Mark knalrood en tuit hij even zijn lippen. 'Vergeten,' zegt hij. 'Dat moest ik nog doen.'

'Wat?' vraagt de mentor.

'Me aanmelden.'

Weer schiet Fae in de lach. 'Nou!' zegt ze. 'Zo kom je er wel!'

Mark kijkt Fae aan en lacht terug. 'Het kan nog wel hoor,' zegt hij, alsof hij Fae op haar gemak wil stellen.

Als Mark vertrokken is en de leerlingen aanstalten maken om het lokaal te verlaten, vraagt meneer Van Brokhuizen Fae nog even te blijven. Terwijl de andere leerlingen vertrekken, pakt hij zijn tas en stopt alle paperassen die op zijn bureau lagen, erin.

Fae wacht, ze heeft haar tas op de voorste bank van de middelste rij gezet.

'Fae,' zegt de leraar.

'Ik hoorde je iets zeggen. Zoiets als dat Muis bij je was geweest, vannacht?'

Fae knijpt in haar rugzak en trekt haar schouders maar weer eens op.

'Weet je,' zegt meneer Van Brokhuizen voorzichtig en Fae hoort dat hij zijn best doet.

'Zou het niet iets zijn als je eens met onze schoolpsycholoog ging praten?'

'Denkt u dat ik gek ben?'

'Nou, nee. Welnee! Als je eens wist hoeveel kinderen van deze school bij de psycholoog lopen, dan hoef jij je niet gek te voelen.'

'Pfff, fijn voor die kinderen, maar niet voor mij.' Fae pakt haar tas op, groet de mentor en loopt het lokaal uit.

Meteen heeft ze spijt. Ze voelt de verdrietige ogen van de leraar in haar rug priemen. Die vent bedoelt het goed, en zij doet zo gemeen. Een psycholoog. Het idee!

Bijna botst ze in de gang tegen Mark op.

'Hé,' zegt ze. 'Hoi.'

'Hoi,' antwoordt hij. 'Wat is er?'

Ze flapt het er zomaar uit. Tegen die vreemde jongen uit de zesde, die ze alleen van gezicht kent. Die haast niets zegt, en daarom vertelt ze het zomaar.

'Hij wil dat ik naar de psycholoog ga. Hij denkt dat ik gek ben. Nou, mooi niet.'

Mark is een kop groter, en buigt zijn hoofd iets, om Fae beter aan te kunnen kijken.

'Ach,' zegt hij. 'Dat kan best wel eens lekker zijn.'

Verbaasd kijkt Fae hem aan. 'Dat is ijs ook,' zegt ze. 'Doei.'

De mentor heeft een goed woordje voor Fae gedaan en haar snel kunnen plaatsen. Daarom zit ze nu in een kuipstoel met zwarte stoffen bekleding. Tegenover haar zit een mevrouw in net zo'n kuipstoel. Aan de muur hangt een poster met vrolijke kinderen die elkaar een hand reiken. Ontzettend vrolijke kinderen. Zou die plaat er hangen om te laten zien hoe onbezorgd en blij je kan worden als je bij deze mevrouw op bezoek bent?

Op de grond liggen biezen matten. Ze stinken.

Toen mevrouw Cronjé haar binnenliet, bood ze Fae een bekertje water aan. In de hoek van de kamer staat een apparaat waar je zelf water uit kunt tappen. Koud of extra koud. De eerste keer schonk de mevrouw het voor Fae in. Daarna mag ze het zelf pakken.

Een bekertje water!

Geen frisdrankautomaat, of een kopje koffie, wat je toch wel mag verwachten als je al bijna zestien jaar bent.

'Vertel eens,' zegt mevrouw Cronjé. 'Wat is er precies gebeurd?'

Ze buigt zich al over haar notitieblok om het verhaal van Fae op te schrijven. De scheiding boven op haar hoofd laat grijze uitgroei zien.

Fae is misselijk. En moe.

'Je was erbij toen je vriend verdronk,' begint mevrouw Cronjé zelf maar, als ze merkt dat Fae haar mond niet opendoet.

In de hoek van de kamer borrelt het verantwoorde

waterreservoir alsof het ongegeneerd boeren laat.

'Kan je vertellen hoe dat gegaan is?'

Faes keel zit nu helemaal dicht. Snappen ze het niet? Snapt niemand dat dan?

Wat heeft het voor zin om te praten? Het is gebeurd en daar kan niemand meer wat aan doen. Moet ze elke keer alles weer naar boven halen? Alles weer opnieuw beleven, weer zijn ogen zien? Moet ze aan zo'n vreemd mens vertellen hoe het ging?

'Nou,' zegt Fae snel. 'We stonden op de brug en toen stapte hij mis. En toen viel hij.'

'Mmm mmm,' mompelt mevrouw Cronjé. Ze legt haar armen over elkaar en wacht met schrijven. Begrijpend kijkt ze Fae aan. 'Mmm mmm,' zegt ze nog een keer om het gesprek op gang te houden. 'En toen?'

'En toen niets.'

'Droom je van hem, heb je nachtmerries?'

Dat vraagt ze zomaar en zonder dat Fae het tegen kan houden, knikt ze.

'En wat droom je dan?' vraagt mevrouw Cronjé voorzichtig.

Welke halvegare imbeciel gaat nu vragen wat je droomt? Denkt ze echt dat Fae overdag nog eens gaat herhalen wat ze 's nachts meemaakt?

Fae haalt nog een keer haar schouders op. Ze wiebelt op haar stoel, kijkt naar de klok. De wijzers verschuiven irritant langzaam.

'Waren er meer kinderen bij?'

Fae knikt.

'Hoe is het met hen? Praat je erover met hen?'

Fae trekt haar schouders op. 'Ik moet gaan,' zegt ze na een tijdje. 'Ik heb nog les.'

Moenja heeft een extra dekentje over Parel gelegd en gaat weer terug in bed.

Overal is het koud, buiten en binnen, zelfs in bed. Moenja trekt het dekbed over haar heen, kruipt tegen Joop aan en valt in slaap.

Het blijft koud, ook in haar dromen.

Ze stapt uit bed, trekt een dik vest aan en gaat het huis uit. Op haar sloffen loopt ze door de donkere straten totdat ze voor de begraafplaats staat. Het is stil als ze met een grote sleutel het statige hek van het slot haalt. Ze geeft een klein duwtje tegen de poortdeur, die piepend openzwaait. Moenja laat het hek openstaan, ze moet er straks toch weer doorheen.

Ze sloft door de gevallen bladeren naar het graf van Muis toe. Voor zijn steen blijft ze staan.

Daar beneden ligt die jongen te bibberen in de bevroren aarde.

Moenja pakt een schop. Een steen ligt er nog niet, dus ze kan meteen in de aarde scheppen. Net zolang totdat het zweet haar op de rug staat en ze haar dode jongen kan oppakken. Ze tilt hem in haar armen en loopt ermee de begraafplaats af. Ze draag haar kind door de straten, neemt hem mee naar huis, loopt de trap op en legt hem in een hoekje op zolder. Ze legt een oude deken over hem heen.

Nu hij zo dicht bij haar is, kan ze rustig slapen.

Op haar blote voeten gaat Moenja de trap af en kruipt weer bij Joop in bed. Ze wordt wakker. Het is donker.

186

Voorzichtig duwt ze tegen Joop aan.

'Joop,' fluistert ze. 'Joop.'

Haar vriend trekt een oog open en kijkt haar slaperig aan.

'Ik heb Muis opgegraven, en lekker warm op zolder neergelegd.'

Joop draait zich naar haar toe, trekt haar tegen zich aan en fluistert: 'Zullen we even kijken boven?'

'Nee,' fluistert ze terug. 'Dat hoeft niet.'

Patrique racet naar huis, onder de donkere, onheilspellende hemel, in de hoop de bui voor te kunnen blijven. Het was weer een fucking saaie dag. Hij heeft bij geen een les opgelet, maar alleen aan zijn broer gedacht. Niet aan zijn mooie avonturen, maar aan niets. Aan hoe hij hem mist. Een kop vol met gemis.

Hij moest practicum doen, maar goot de vloeistof over het reageerbuisje, zodat de boel bijna ontplofte en met gym heeft hij zo loeihard de volleyballen over het net geslagen, dat hij er nu een zere hand van heeft.

Hij doet aan alles mee, praat met iedereen, lacht, rookt sigaretten, doet alles om maar niet de leegte te voelen in zijn hoofd.

Plotseling staat hij vol op zijn rem. Daar gaat Muis! Patriques hart staat stil en bonkt tegelijkertijd wild.

Daar, bij een tuinhek, staat een klein donker jochie dat net zo beweegt als Muis. Net zo groot, net zo donker, net zo bewegelijk.

Maar hij is het niet.

Met klamme handen fietst Patrique door. De bui is inmiddels losgebarsten, de eerste hagelstenen raken zijn voorhoofd.

Thuis zit zijn moeder in een fotoboek te kijken. Zijn kleine zusje zit op de bank met twee poppen op haar schoot.

'Zo gek,' zegt Moenja. 'Ik droomde vannacht over Muis.'

Nee hè, niet weer. Patrique loopt direct door naar de keuken, veegt met de handdoek zijn gezicht droog en schenkt zichzelf een glas jus d'orange in. Als dat leeg is, pakt hij zijn boekentas uit de gang en wil naar boven lopen, maar hij wordt tegengehouden door zijn moeder.

'Patrique, kom! Kom nou toch eens bij me zitten. Je zegt nooit wat. Je praat nooit over Muis.'

Patrique zucht en loopt door.

'Blijf dan toch!' zegt zijn moeder.

'Nee.'

'Je moet erover praten.'

'Ik moet niets.'

'Je kropt het op.'

'Jij cultiveert het. Je jankt de hele dag. Alleen maar om Muis. Alsof ik er niet ben, alsof Parel er niet is. Hield je soms meer van hem?'

Moenja is even sprakeloos.

'Dat is vals!' zegt ze dan. 'Ik houd van jullie allemaal evenveel, maar Muis is dood. En jij zegt geen woord. Dat is niet goed.'

'Wat weet jij daar nou van!'

Patrique draait zich woest om, smijt de deur achter zich dicht en gaat het huis uit.

Hij fietst en fietst. Door de regen, maar dat merkt hij niet eens.

'Klootzak,' roept hij, als hij in zijn eentje in de polder rijdt en het water van de wielen tegen hem aan spat.

'Klootzak, waarom moest je ertussenuit piepen! Had je niet een keer uit je doppen kunnen kijken, jij altijd met je roekeloze gedrag. Zit ik hier met ma die maar jankt en jankt. Wat moet ik nu in mijn eentje? Je hebt me godsgruwelijk in de steek gelaten. Klootzak!'

Hij trekt woest aan zijn stuur en moet oppassen dat hij niet slipt in de plassen die inmiddels op de weg liggen.

Fae zoekt haar muts. Elke week is ze wel iets kwijt, een want, een muts, een pet, een regenbroek. Meestal ligt het kledingstuk in haar kluisje, of in een bak met stinkende gevonden voorwerpen.

Ze loopt via de achteringang naar binnen. Misschien heeft de conciërge hem gevonden.

Als ze bijna bij zijn kamertje is, gaat haar telefoon. Snel kijkt Fae op haar display.

'Moedertje,' zegt ze.

'Fae. Waar ben je?' Haar moeder klinkt opgewonden.

'Hier.'

'Er komt geen onderzoek.'

Even, een duizendste van een seconde moet Fae nadenken. Dan weet ze het. Er komt geen onderzoek!

Laat die muts maar zitten. Als de hemel openbarst, dan barst die maar open.

Ze haalt haar fiets uit de fietsenstalling en scheurt weg. Koude hagelstenen razen uit de hemel. Het enige wat ze kan doen is zo hard mogelijk fietsen, met gebogen hoofd, tegen de hageldruppels die als kogels tegen haar voorhoofd slaan.

Natuurlijk heeft ze het niet met opzet gedaan. Natuurlijk niet!

Maar als ze nu eerder had gereageerd? Als ze niet op die idiote schoentjes had gestaan. Als ze meteen gedoken had. Als ze niet op dat jongetje hadden gespuugd. Als ze iets later naar boven waren geklommen. Als er iets meer ruimte was geweest tussen haar en Jason.

Opnieuw staat Fae boven op de brug en weer spugen ze naar beneden en alweer draait Muis zich om en stapt mis. Snel buigt Fae voorover en grijpt zijn arm. Raak! Ze heeft hem!

Ze scheurt de spoorwegovergang over en slaat rechts af. De hagelbui is gestopt.

Er komt geen onderzoek!

Bij het Praambruggetje botst ze zowat op een of andere idioot, die ook met voorovergebogen hoofd rijdt. Ze geeft een ruk aan het stuur en schreeuwt of hij niet kan uitkijken.

'Sorry!'

Het is Patrique.

Fae remt, keert dwars over de straat om en rijdt terug. 'Hé gek, kon je niet uitkijken?'

Ze zet haar voeten op de grond en veegt de natte haren uit haar gezicht.

'Sorry, mijn handvat schoot van mijn stuur. Ik heb er te hard aan getrokken.'

'Wat is er?'

Patrique draait de rubberen koker weer op het stuur en geeft er een paar harde klappen tegenaan.

'Wat is er?' vraagt Fae nog een keer.

'Niets.'

'Wel. Ben je boos?'

Hij haalt zijn schouders op.

'Op wie?'

'Op mijn moeder. Ze zeikt zo.'

Waarom? wil ze vragen. Maar ze weet het wel. Sinds de dood van Muis is Patrique de hort op. Thuis zegt hij geen woord, op school maakt hij alleen maar geintjes, met Fae praat hij niet, met niemand. Zijn moeder wil praten, elke dag. Over Muis, over alles wat hij heeft uitgehaald, over zijn lieve dingen, zijn stoute dingen. Maar Patrique zwijgt in alle talen.

'Waar ging je naartoe?' vraagt Patrique, de vragen van Fae omzeilend.

Zal ze vertellen van de politie? Zo even nonchalant, om te kijken hoe hij reageert. Zal ze vragen: Patrique, vind je mij nog wel een goede vriendin, want ik heb je broer niet gered? En dan? Als hij nee zegt? Als hij haar schuldig verklaart aan de dood van zijn broer? Dan is ze nog een vriend kwijt.

En als hij zegt: natuurlijk niet. Dan zou ze het schuldgevoel misschien kunnen loslaten. Maar dan? Dan zullen anderen zeggen: Zie je wel dat het haar geen reet uitmaakt. Ze voelt zich niet eens schuldig.

'Naar huis,' antwoordt Fae. 'Ga je mee?'

'Ik ga zaterdag naar een feest,' zegt Patrique, als ze het kleine stukje naar het huis van Fae fietsen. 'Ga je mee? Een krankzinnig groot dansfeest in Amsterdam.'

'Mag je?'

Patrique trekt zijn schouders op. 'Weet niet. Heb het nog niet gevraagd. Dat lukt dus gewoon niet. Ze heeft het alleen maar over Muis.'

Even kijkt Fae haar vriend aan. Even kijkt hij terug. Hij weet wel dat hij te hard is. Hij weet het.

'Ik ga toch,' zegt hij.

'Dan ga ik ook. En Billy gaat mee.'

'Eet je wel genoeg?' vraagt mevrouw Cronjé een paar weken later, als ze merkt dat Fae nog steeds niet over haar nachtmerries praat.

'Ja hoor,' antwoordt Fae. 'Ik was altijd al mager.'

In de hoek boert het waterreservoir.

'Toch geen...'

'Anorexia,' maakt Fae de zin af. 'Nee hoor, mijn oma was ook zo dun, zij moest vroeger slagroom eten.'

Natuurlijk is Fae te mager. Je komt heus niet aan als je vriend verzuipt en je vanaf dat moment gaat roken en net hebt geleerd dat vijf bakken zwarte koffie op een dag best lekker zijn. Die koffie heeft ze trouwens wel nodig om wakker te blijven tijdens de lessen. Nog steeds, na maanden, dwalen telkens haar gedachten af en vallen haar ogen bijna dicht, als een docent iets uit probeert te leggen.

'Het gaat niet goed op school hè.' Mevrouw Cronjé gooit het over een andere boeg.

'Nah,' zucht Fae.

Moet ze met haar ook over school praten? Dat doet ze al met haar mentor, en met de decaan en alle leraren. Ze haalt onvoldoendes, levert haar werk niet op tijd in, loopt achter met boekverslagen. Net als Patrique, net als Gonneke en Jason.

Misschien blijven ze allemaal zitten, dat zit er dik in.

Maar ze gaat niet naar de havo. Natuurlijk niet, wat er ook gebeurt, hoe lang het ook gaat duren, Fae maakt haar vwo af en gaat daarna in Delft bouwkunde studeren. Ze wordt architect en niets anders.

'Weten je ouders ervan? Kan je goed met ze praten?'

Het notitieblok ligt nog steeds op haar schoot, meer dan één pagina heeft mevrouw Cronjé nog niet over Fae opgeschreven.

'Heel goed,' antwoordt Fae.

'Dat is fijn.'

'Ja, dat is heel fijn.'

Praten, praten, praten. Waar moet je over praten als je de hele dag aan Muis denkt? Als je hem overal in het dorp ziet, uitzinnig blij naar hem toe rent en op het laatste moment erachter komt dat het Muis toch niet is. Wat moet je uitleggen als je honderd keer op een dag je vriend voor je neus naar beneden ziet vallen, hem pakt, hem grijpt, hem weghaalt. Maar toch niet. Dat je zo ongelooflijk stom, debiel, dom, achterlijk bent geweest dat je hem niet hebt gered. Dat iedereen nog steeds loopt te janken omdat jij daar zo debiel op die brug hebt gestaan en niets hebt gedaan. Dat je niet lang genoeg in het water hebt gezocht naar je vriend.

Als Fae na het gesprek met de psycholoog thuiskomt, zit haar moeder in de kamer en staat de mevrouw van slachtofferhulp in de deuropening.

'Hallo Fae,' zegt ze.

Wat doet ze toch zo vaak bij Fae in huis?

Ja, Fae weet het wel, ze is er om haar te helpen. Maar Fae is geen slachtoffer en ze hoeft geen hulp.

En nu is ze het zat ook.

'Mevrouw,' zegt Fae, terwijl ze haar tas op de grond laat vallen en haar winterjas over de stoel gooit. 'Waarom bent u hier steeds?'

'Voor jou,' zegt de mevrouw.

'Nou dat hoeft niet.'

'Ik dacht, misschien kan je wel wat hulp gebruiken.'

Fae ploft aan de ronde keukentafel en pakt haar tas van de grond.

'Ja!' zegt ze. 'Met economie!'

'O.' De vrouw giechelt voorzichtig en loopt naar Fae toe. Nu staat ze naast haar in haar merkloze spijkerbroek. Fae haat uitzakkonten in fletse spijkerbroeken en platte blauwe instapschoenen. Deze vrouw is een fletse vrouw. Een mevrouw van de Zeeman, of van c&a, of van Miss Etam. Dat is ze. Fae knijpt haar lippen op elkaar om niet hardop te lachen.

'Dat is nu juist iets waar ik niet zo goed in ben. Maar ik dacht, met je vriend. Met Muis.'

Alweer gaat er een stroom van medelijden door Fae heen, net als toen bij haar mentor.

Dat arme mens komt hier nu al meer dan een halfjaar en ze wacht maar totdat Fae wil praten.

Praten!

'Mevrouw,' zegt Fae, met een pen in haar hand. 'Mevrouw, het gaat ontzettend goed met me. Het is erg aardig dat u hier bent, maar helemaal niet nodig. Het gaat gewoon ontzettend goed met me.'

'Maar...' antwoordt de mevrouw.

'Ja.'

'Echt waar?'

'Ja, echt waar. Ik weet niet wat u verder wilt, maar wat mij betreft kunt u gaan.'

Even kijkt de vrouw naar de woonkamer, hulp zoekend bij Pamela.

Fae slaat haar agenda open, klemt de pen tussen haar tanden en leest geconcentreerd wat het huiswerk voor morgen is.

'Dus het is wel goed?' zegt de mevrouw tegen het gebogen hoofd van Fae.

'Ja, heel goed.'

'Dus ik kan wel gaan? Dat is wat je wilt? En zal ik dan zo af en toe nog eens terugkomen? Volgende maand, bijvoorbeeld?'

'Doe geen moeite. Als u het niet erg vindt, gaat het met mij heel goed.'

Als de vrouw met haar jas aan en tas in haar hand in de keuken staat, en nog een keer om zich heen kijkt, kan Fae het toch niet laten om iets te zeggen: 'Bedankt mevrouw. Voor alles.'

De voordeur valt dicht. Buiten start de motor van haar rode Suzuki Alto. Even later is het weer stil in de straat.

Pamela loopt de keuken in en gaat naast Fae aan tafel zitten. 'Die is weg,' zegt ze.

Fae kijkt op van haar boek. 'Ja.' En ze gaat weer door met sommen maken. Ze voelt dat haar moeder naar haar kijkt, ze hoort haar eigen stem nog nadreunen in haar hoofd: 'Mevrouw, waarom bent u hier steeds? U kunt wel gaan.'

'Fae,' zegt Pamela na een tijdje. 'Je bent zo...'

Fae hoort haar moeder naar woorden zoeken. Ze laat haar lekker zoeken.

'Zo... onverschillig.'

Nee.

O nee.

Fae knijpt vanbinnen alles samen wat ze kan samenknijpen. Haar buik vooral.

'Fae,' fluistert Pamela. Voorzichtig legt ze een hand op haar dochters linkerhand.

'Wat missen we hem hè.'

Fae kan niet knikken, ze kan niets zeggen.

Langzaam vervagen de sommen die ze in de les had gemaakt tot blauwe inktvlekken.

Nog steeds stinken de biezen matten op de vloer. Maar Fae heeft een manier bedacht om onder de gesprekken uit te komen.

Het gaat goed, buiten schijnt de eerste lentezon en de vogels fluiten weer, verleden jaar om deze tijd fietste ze met Muis naar huis, slingerend, lachend.

'Hoe heb je geslapen deze week?' vraagt mevrouw Cronjé en kijkt Fae verwachtingsvol aan.

'Goed!' antwoordt Fae opgewekt.

'Geen nachtmerries?'

'Nee!'

'Zo. Zo, dat is een hele vooruitgang.'

'Ja.'

'Dat is mooi, heel mooi. Fijn!'

'Nou en of. Spuit u die vloer soms?'

Mevrouw Cronjé schrikt op en wrijft even over haar notitieblok. 'Spuiten?'

'Ja, natmaken. Hij stinkt.'

'O, vind je?' Mevrouw Cronjé moet even lachen. 'Ja, een vloer die van touw gemaakt is, krimpt langzamerhand en daarom moet je hem eens in de zoveel tijd nat maken. Goed hoor dat je dat ruikt, maar wat fijn van die nachtmerries.'

Fae knikt heftig en drinkt de laatste druppel uit haar beker.

'Is dat van de laatste week, of...'

Fae schudt haar hoofd. 'Al een tijdje.'

'En school?'

'Goed!'

'Maar je blijft waarschijnlijk zitten.'

'Ja, dat moet dan maar.'

Mevrouw Cronjé kijkt haar liefdevol aan. 'Ach meisje, zo erg is dat niet hoor, er blijven zoveel kinderen een keer zitten.'

Ja, knikt Fae. Maar niet omdat ze hun vriend zien verzuipen.

'Als ik ons gesprek mag samenvatten, dan kan ik concluderen dat je niet meer iedere nacht honderd manieren bedenkt hoe je je vriend had kunnen redden?'

'Ja!'

'Dus het gaat eigenlijk gewoon goed?'

Fae knikt zo heftig dat haar steile haren meedeinen op haar schouders.

'Nou, dat is fantastisch! Goed hoor. Zullen we dan voorlopig maar een punt achter de gesprekken zetten? Tenminste, als jij dat wilt?'

Nog even speelt Fae het spel mee. Ze denkt na, twijfelt, maar zegt dan resoluut: 'Is goed. Bedankt mevrouw Cronjé.'

Zo.

Fae trekt de fiets uit het fietsenrek en rijdt weg. Door de laan waar de kliko's tegenwoordig allemaal rechtop blijven staan. Bij de Naald rijdt ze de polder in, over het Praambruggetje, langs de Oostervijver, de basisschool, over de Brink, door de winkelstraat, rechtsaf de Kerkstraat in, bij de oude boerderij van Paridon linksaf, de Eemweg op, naar het oude huis bij de Eem. Maar niet naar de brug.

Bij het oude huis stopt ze. Ze blijft even staan kijken naar de paar muren die er nog steeds staan en naar de hangboom over het water. *Wil je verkering met me? – Ja.*

Ze glimlacht om het meisje dat naar het springjongetje keek.

Dan stapt ze weer op de fiets en rijdt terug.

De lente is overal.

Ze zwaait naar Prissila die op het bankje in het Rozenparkje zit, en fietst verder. Het dorp in, naar huis. Gewoon naar huis.

Ineens ziet ze Prissila op het bankje voor zich. Alsof het nu pas tot Fae doordringt. Prissila had een rode streep boven haar lip. Fae schiet in de lach. Het was blijkbaar weer zo ver. Sinds de actie van Muis moet Prissila maandelijks haar snor harsen.

Het is feest. Groot feest. Bijna iedereen in Baarn is geslaagd voor zijn eindexamen en dat wordt overal gevierd met veel drank en muziek.

Fae heeft eindelijk een scooter en bezoekt zoveel mogelijk feestjes op een avond. Als ze niet is uitgenodigd, wordt ze wel door iemand meegenomen.

Ook al zijn Fae, Patrique, Gonneke en Jason blijven zitten en moet Billy naar een andere school omdat hij de helft van de tijd niet kwam opdagen omdat hij op het graf van Muis lag. Toch is er reden genoeg om allemaal met elkaar op stap te gaan. Lachen, lullen, drinken, dansen, roken.

Fae, Patrique, Gonneke, Jason, Billy, Trúc, Charley, eigenlijk is iedereen bij Rafael. De grote tuin is feestelijk versierd met slingers en lampionnen. Tegen de gevel van het huis is een kolossale barbecue gezet, waar de worsten lekker liggen te pruttelen in hun vet.

Fae staat bij de barbecue en kijkt naar alle mensen in de tuin. Zelfs Dammetje is er, nadat hij bijna een jaar niets van zich heeft laten horen. Hij praat met een meisje dat Fae niet kent.

Plotseling staat Mark naast haar.

'Hé Fae,' zegt hij, met dezelfde voorzichtige verlegenheid als waarmee hij eerder in de klas stond.

'Hé!' zegt Fae. 'Ben je geslaagd?'

Mark knikt en knijpt zijn mond samen, alsof hij meer wil zeggen.

'Wat ga je nu doen?'

'Naar de autoschool in Arnhem.'

'Autoschool?!' Het komt er harder uit dan ze bedoelde. 'Wat ga je daar doen?'

Even lacht Mark, er komt een kuiltje in zijn rechterwang. 'Spelen met dinky toys.'

'Echt?' Fae wiebelt een beetje op haar benen. Schaamt zich voor haar domme vraag. Ze kijkt om zich heen, naar de mensen die een worstje van de barbecue kiezen of een biertje uit het krat pakken.

'Nee, was het maar waar,' zucht hij.

Van opzij kijkt ze hem aan. En ineens draait haar maag een slag. 'O ja ja,' antwoordt ze en kan zich wel voor haar hoofd slaan om haar domme gepraat.

'En jij? Hoe is het met jou?'

Ze schrikt even. Ze kan niet zomaar iets zeggen. Ze zoekt naar woorden. Trekt dan haar schouder op. 'Nah,' zegt ze. 'Het gaat.'

Hij blijft staan en kijkt haar aan. Die bruine ogen, het kuiltje, die mond die samenknijpt zonder zich te openen.

'Ik ga even een worstje pakken,' zegt Fae en draait zich snel om.

De volgende dag staat hij alweer naast haar, nu in de grote partytent die hij met een paar vrienden heeft gehuurd.

'Hé Fae,' zegt hij en haar hart slaat een paar keer over.

Even later staat hij dicht bij haar in de buurt te dansen. Zou hij dat expres doen?

Doe even normaal Fae, hij staat toevallig dicht in de buurt te dansen.

Het feest is net als de andere feesten: harde muziek, tientallen scooters op de oprijlaan, de lucht van verschroeid barbecuevlees, bierlucht die tot aan paleis Soestdijk te ruiken is. Iedereen staat met een flesje pils in zijn hand of ligt ergens in het gras buiten de tent, en als je goed luistert naar het gekakel, versta je niets.

Fae drinkt bier, rookt een sigaret, praat met Gonneke, maakt een grapje met Trúc, lacht met Patrique, haalt een biertje voor Billy en ondertussen stroomt het bloed door haar aderen, klepperen haar hartkleppen, giechelt ze om niets en voelt zich beresterk en slap tegelijk.

Alleen omdat Mark door de tuin loopt.

Nauwlettend houdt ze hem in de gaten. Zelfs als hij buiten haar blikveld staat, weet ze waar hij is. En als hij met een meisje praat dat Fae niet kent, gaat er een steek door haar hart.

Debiel! Ze heeft niet eens wat met die jongen en is al jaloers. En bang. Die ander is vast leuker, makkelijker, grappiger, mooier, sleept niet zo'n zak stenen in haar ziel mee als zij.

'Fae,' zegt Mark, als hij terug de tent in loopt, na een toiletbezoek. 'Biertje?' Zonder het antwoord af te wachten, geeft hij haar een flesje. Eigenlijk hoeft ze niet meer, uit haar poriën zweet ze al bier, maar ze neemt het toch aan.

Mark neemt een slok, zij ook. En nog een, zij ook.

Maar hij zegt niets. En zij ook niet.

Staan ze daar met zijn tweeën in de tent, tussen dansende en pratende mensen een beetje te staan.

Hij neemt nog een slok, zet het halfvolle flesje op een richeltje van een tentpaal en draait zich naar haar toe.

'Zo mooi,' zegt hij.

'Wat?' stamelt Fae.

'Jij.'

Ze giechelt, probeert iets te verzinnen om terug te zeggen.

Ineens veegt hij met zijn hand over haar wang. Fae zakt zowat in elkaar.

'Fae,' fluistert hij nog een keer en slaat een arm om haar heen. Hij kust haar. Trekt haar tegen zich aan.

Ze heeft het bierflesje nog in haar hand. Zonder te kijken wat ze doet, zoekt ze een plek om het ergens neer te zetten. Nergens. Dan maar met een flesje in haar hand, ze wil nu ook niet bukken om het op de grond te zetten. Ze slaat haar armen om zijn middel, voelt zijn hart bonken.

Hij haalt even adem. Daar zijn zijn lippen weer.

Fae houdt haar ogen gesloten. Haar hart gaat als een wilde tekeer. Langzaam verdwijnt ze in een warme grote golf waarbinnen ze alles laat gebeuren.

Fae wordt wakker. Veel te vroeg. Ze moet opstaan, haar zaterdagbaantje wacht.

Meteen denkt ze aan Mark.

Sinds lange tijd heeft ze diep geslapen. Sinds lange tijd staat ze op, zonder aan iets te denken. Nou ja, aan Mark dan. Aan zijn lippen, zijn armen om haar heen. Aan de tent die langzaam verdween, aan de stemmen die niet meer te horen waren, aan de muziek.

Vandaag gaat ze even werken, snel naar huis, snel douchen, snel omkleden, snel eten en dan zal ze hem weer zien, ergens in Soest.

Haar hart bonkt zo hard, alsof het het tempo van de dag wil opvoeren, zodat het eerder avond is.

De dag duurt lang, maar alles gaat haar makkelijk af. De levensmiddelen die over de lopende band op haar af komen, scant ze sneller dan ooit. Als ze wisselgeld moet uittellen, rekent ze vlotter uit haar hoofd dan ze in haar hele schoolcarrière heeft gedaan.

Ze telt de uren, de minuten tot aan sluitingstijd. Zonder te treuzelen ruimt ze haar spullen op, trekt haar gele schort uit en fiets naar huis.

Voor de spoorovergang slaat ze links af. Langs het kerkhof. En in plaats van rechtdoor te fietsen, rijdt ze het pad op.

Even naar Muis. Even vertellen van gisteren. Bij het kleine kapelletje zet ze de fiets op de standaard en loopt door het dikke grind de begraafplaats op, tussen de graven door, over het pad met de grote groene bomen.

Achter in de hoek van de dode kinderen ligt iemand. Als ze dichterbij komt, ziet ze dat het Billy is, die op zijn rug, met de armen onder zijn hoofd boven op de grafsteen van Muis ligt.

Ze staat stil, wil zich omdraaien en weer weggaan. Maar ze loopt toch door en kijkt naar hem, naar zijn schokkende schouders, compleet in zichzelf gekeerd.

Ze flapt het er zomaar uit: 'Lig je nu alweer te janken?'

Hij schrikt, komt overeind, veegt snel zijn tranen weg.

'Trut,' zegt hij. 'Donder op.'

'Donder op? Waarom?'

Billy springt overeind. Hij is twee koppen groter, en veel sterker dan zij. 'Jij begrijpt het niet,' zegt hij. 'Zie je wel, dat je het niet begrijpt?'

'Wat niet?'

'Ach trut.' Hij spuugt in het grind, net naast het graf van Muis.

'Niemand begrijpt het verdomme,' sist hij tussen zijn tanden.

'Wat begrijpt niemand?'

'Van Muis.'

Alle spieren trekken zich samen in Faes dunne lijf.

'Waarom zou ik het niet begrijpen?'

'Omdat ik verdomme mijn beste vriend kwijt ben!' Zijn stem schalt over de begraafplaats en echoot na van graf tot graf. 'Nog iedere dag heb ik spijt, wist je dat! Nog iedere dag heb ik spijt dat ik er niet bij was. Ik had hem kunnen redden.' Met zijn vinger prikt Billy tegen zijn eigen borstkas.

Even is hij stil. Dan kijkt hij Fae aan. 'Niemand voelt wat ik voel. Ik doe wel leuk mee. Ik feest wel. Maar het slaat helemaal nergens op.'

Fae kijkt hem aan, maar ze ziet hem niet echt. Tussen de twee gezichten valt iemand. Een spartelende jongen met bange ogen dondert in een duizelingwekkende vaart naar beneden. Ze wil hem pakken, grijpen, graaien. Maar ze verdwijnt. Ze verdwaalt in de ruimte, in de tijd.

In de verte hoort ze het grind knerpen. Als ze opkijkt, is er niemand meer bij het graf. Haar broer is weg.

'Muis,' fluistert Fae. 'Het spijt me.'

Als ze thuiskomt, hoort ze haar broer boven door zijn kamer lopen. Verder is er niemand thuis.

Uit het laatje van de keukentafel pakt ze een schrift en een pen. Ze heeft er een halfuur voor moeten fietsen. Door boosheid heen, door tranen heen, om uiteindelijk te kunnen schrijven.

> *Lieve Billy,*
> *Het spijt me.*
> *Alles spijt me.*
> *Maar zullen we het proberen?*
> *Hoe moeilijk het ook is.*
> *Het moet.*
> *We moeten er iets van maken.*
> *Van het leven.*
> *Voor Muis.*
> *Fae.*

Ze scheurt het blaadje uit het schrift, vouwt hem dubbel en loopt stil de trap op. Ze schuift het briefje onder zijn deur door en loopt meteen door naar de badkamer.

Haar voeten zijn koud van de badkamertegels. Hoe lang ze op de wc zit met haar broek op haar enkels, weet ze niet. Is ook niet belangrijk. Straks ziet ze Mark.

Is dat zo? Kan ze wel naar hem toe? Mag ze wel feestvieren?

Haar hart bonkt, maar haar buik doet akelig pijn.

De deur van Billy's kamer piept. Ze hoort gedempte voetstappen op de vloerbedekking van de overloop. Ze stoppen voor de deur van de badkamer.

Met haar ellebogen gesteund op haar knieën blijft Fae zitten.

Er ritselt iets bij de deur. Een wit puntje schuift de badkamer in. Het is een blaadje dat blijft ritselen totdat het stil op de vloer ligt. Achter de deur gaan de voetstappen weer weg.

Fae staat op, schuifelt met haar broek op de enkels naar de deur toe, pakt het briefje en vouwt het open.

Sorry.

Met het briefje in haar hand schuifelt ze terug en gaat weer zitten.

Sorry.

Ze leest het wel honderd keer. Telkens op een andere toon. In gedachten ziet ze Billy op het graf liggen, naar huis gaan, zich terugtrekken in zijn kamer, het briefje lezen, nadenken, een pen pakken en terugschrijven.

Ze staat op en gaat op zoek naar een pen. Het enige wat ze vindt is een oud kohlpotloodje. Met dikke zwarte letters schrijft ze onder Billy's brief: *Sorry*.

Als ze het briefje onder zijn deur heeft geschoven, gaat ze terug naar de badkamer, zet de kraan aan en gooit een plens water in haar gezicht.

Hetzelfde briefje komt terug: *Ja*.

Ze pakt het op, krabbelt tussen de andere woorden door: *Ja. Ook ja*. En loopt naar de deur. Als ze hem openmaakt, botst ze tegen hem op.

'Hé,' zegt ze en lacht.

Hij lacht ook.

Ze geeft hem het briefje. Hij leest: *Ja, ook ja*.

Hij kijkt haar aan, zijn zusje.

'Ja,' zegt hij. 'Ja!'

'Ja,' zegt Fae.

Ineens slaat hij zijn armen om haar middel en tilt haar op. Zij legt haar handen om zijn hals en ze houden elkaar stevig vast.

Maar dan springt ze op de grond, pakt Billy bij zijn polsen, trekt hem iets uit zijn evenwicht en op het moment dat hij een stap wil zetten om zijn balans te hervinden, slingert ze haar been om dat van hem.

Daar ligt hij. Haar grote broer, midden op de overloop, tussen traphek en muur. Fae ploft boven op hem. Ze pakt zijn armen en trekt ze naar achteren.

'Genade!' roept ze.

Billy kent het spelletje maar al te goed. 'Genade!' roept hij.

Wel vijf keer. Totdat Fae loslaat.

Het is vrijdagmiddag en net zo warm als verleden jaar. De tuin van Billy en Fae staat vol vrienden. Vanavond gaan ze naar Ahoy, met zijn allen naar de Red Hot Chili Peppers. Billy heeft de kaarten geregeld.

En Mark gaat mee.

Iedereen wacht op Fae, die zich nog moest douchen.

Billy hangt in een leunstoel, hij rookt een sigaret.

Patrique en Jason staan achter in de tuin over de weilanden uit te kijken, en praten over de nieuwe scooter van Patrique. Het duurt nog even voordat hij erop mag rijden, maar hij staat nu al te blinken in de schuur.

Gonneke aait het konijn dat ze in haar armen houdt. In haar witte jurk en hoge touwschoenen lijkt ze ouder en mooier dan ooit.

Het zou helemaal niet gek zijn als er nu een klein donker rotjochie op zijn scooter de tuin in kwam scheuren. Ook al was hij nog net geen zestien, hij had hem best even kunnen laten zien. Direct al opgevoerd, en zonder helm.

Het konijn was waarschijnlijk van schrik uit Gonnekes arm gesprongen, als ze snel een stap opzij had moeten doen om de scooter te ontwijken.

Het kon best zijn dat Billy uit de ligstoel moest vluchten omdat de scooter iets harder ging dan hij kon remmen.

Maar er gebeurt niets.

Even later staat Fae op de drempel, in een alledaagse spijkerbroek, een fel gekleurd hemdje, haren los en een klein beetje mascara op. Meer niet. Geen hoofd vol urenlange opdofferij. Toch is ze prachtig.

Patrique heeft zich omgedraaid en kijkt haar aan. Fae is nog net zo mooi als de eerste dag op de kleuterschool. En hij houdt nog evenveel van haar als toen. Hij heeft wel een vriendin, een meisje uit Arnhem, waar hij morgen weer naartoe gaat. Ieder weekend is hij bij haar. Elk weekend is hij even weg van al het verdriet, weet niemand van het bestaan van zijn tweelingbroer.

Faes hart bonkt. Ze kijkt, tegen de felle zon in, naar haar vrienden, die op haar staan te wachten. Iedereen is er. Ook Mark.

Hij kijkt haar aan, met zijn ene hand in zijn broekzak, en in de andere een sigaret.

Fae zucht onhoorbaar. Ze merkt dat er een vraag in haar opborrelt, waar ze de woorden nog niet voor heeft. Laat staan het antwoord.

Maar het doet er niet toe. Ze is deze middag zomaar even gelukkig op een bodem van verdriet.

Het boek is af.

Elf jaar hebben Lieke en ik erover gedaan om dit verhaal te schrijven. Tien jaren van doodse stilte, en een jaar van tientallen gesprekken.

Ik berg mijn aantekeningen op, verzend het manuscript naar de redacteur en stap op mijn motor. Naar Lieke die vandaag haar bul in ontvangst zal nemen. Vanaf vandaag mag zij zich architect noemen.

Ik dank Michael, Liza en alle vrienden en vriendinnen voor hun kwetsbare, eerlijke en sterke verhalen over Muis. Door hen allen heb ik dit boek kunnen schrijven. Soms heb ik details veranderd of er scènes bij geschreven. Maar waar ik zo dicht mogelijk bij ben gebleven, is het verwoorden van hun emoties.

Ik dank Edward voor zijn vertrouwen in mijn schrijfkunst. Ik dank Shana en Peer voor hun bezield meelezen.

Maar vooral dank ik Hans voor zijn eeuwig liefdevolle ondersteuning, opbouwende kritiek en onwrikbare vertrouwen!

Anke Kranendonk

Lees ook deel 1 en 2 in de Slashreeks

Hamayun zit in havo 4 en wil filmer worden. Maar eerst schrijft hij een toneelstuk over zijn eigen verleden.
Over het dagelijks leven in Afghanistan, en de grappen die hij er uithaalt met zijn vrienden.
Over de nacht dat de Taliban zijn vader gevangennemen.
Over de lange reis naar Europa.
Over de aankomst in Nederland en over het wonen in een asielzoekerscentrum.

Hamayun vindt Nederland fris, en groen. Hier kan zijn familie eindelijk vrij denken. Maar mogen ze eigenlijk wel blijven?

Edward van de Vendel kreeg drie keer de prijs voor het beste jeugdboek van het jaar (de Gouden Zoen) en schreef dit boek nu samen met *Anoush Elman* (17).

Cynthia wordt als baby door haar moeder achtergelaten in het illegale kindertehuis van mama Riet. In het flatje wonen een stuk of tien kinderen, dus het is er nogal een chaos. En je moet oppassen dat je uit de buurt van de dochter van mama Riet blijft, want die is vals en verzint de gemeenste straffen. Mama Riet bemoeit zich daar niet mee. Zij heeft het te druk met andere dingen, haar honden bijvoorbeeld. Cynthia weet niet beter en past zich aan. Gelukkig is haar broer Janos ook in het huis, en de lieve Bella, die als een oudere zus voor Cynthia zorgt. Op een dag staan er hulpverleners voor de deur die willen ingrijpen. Cynthia raakt in paniek, want ze wil niet dat het 'pleeggezin' uit elkaar valt.

Mirjam Oldenhave is bekend van onder meer *Belly B, Klem!* en de boeken over Mees Kees. Samen met haar man is ze ook pleegouder. Op die manier ontmoette ze Cynthia van Eck (17 jaar) en kreeg ze haar levensverhaal te horen.